C O L L E C T I O N
CONTES POUR TOUS
DIRIGÉE PAR ANNE-MARIE AUBIN

DE LA MÊME AUTEURE

Dans la collection Contes pour tous
publiée aux Éditions Québec/Amérique

Le Jeune Magicien, 1984.
*C'est pas parce qu'on est petit qu'on
    peut pas être grand*, 1987.
La Grenouille et la Baleine, 1988.
Fierro… l'été des secrets, 1989.
Bye Bye Chaperon rouge, 1989.
La Championne, 1991.
Danger pleine lune 1993.
*Le Retour des aventuriers
    du timbre perdu*, 1994

Traductions et adaptations

Opération Beurre de pinottes, 1985.
Les Aventuriers du timbre perdu, 1988.
Vincent et moi, 1990.

LE RETOUR DES AVENTURIERS DU TIMBRE PERDU

Données de catalogage avant publication (Canada)

Rubbo, Michael
[Return of Tommy Tricker, Français]

Le retour des aventuriers du timbre perdu

(Contes pour tous ; 15)
Traduction de: The return of Tommy Tricker.
Pour les jeunes.
"Tiré du film: Le retour des aventuriers du timbre perdu"

ISBN 2-89037-683-4
I. Julien, Viviane. II. Titre. III. Titre: Return of Tommy
Tricker. Français. IV. Collection: Contes pour tous ; no 15.

PS8585.U22R4714 1994   jC813' .54   C94-941275-9
PS9585.U22R4714 1994
PZ23.R82Re 1994

Les Éditions Québec/Amérique bénéficient du programme
de subvention globale du Conseil des Arts du Canada.

Dépôt légal:
3e trimestre 1994
Bibliothèque nationale du Québec
Bibliothèque nationale du Canada

Diffusion:
Éditions françaises
1411, rue Ampère
Boucherville (Québec)
J4B 5Z5
(514) 641-0514
(514) 871-0111 - région métropolitaine
1-800-361-9635 - région extérieure
(514) 641-4893 - télécopieur

Révision linguistique: Marcelle Roy
Montage: Caroline Fortin

LE RETOUR DES AVENTURIERS DU TIMBRE PERDU

VIVIANE JULIEN

ROMAN

Tiré du film
Le Retour des Aventuriers du timbre perdu

Scénario de
Michael Rubbo

Réalisé par
Michael Rubbo

Photos par
Jean Demers
et Pierre Vinet

ÉDITIONS QUÉBEC/AMÉRIQUE JEUNESSE

1380 A, rue De Coulomb,
Boucherville (Québec) J4B 7J4
Tél.: 655-6084 Fax: 655-5166

Oh! c'est sûrement pas qu'il avait beaucoup voyagé, Tommy! Une seule fois dans sa vie, mais ce n'était pas n'importe où ni, surtout, n'importe comment! Il était allé jusqu'en Australie, et sur un timbre, s'il vous plaît! Une extraordinaire aventure, surtout pour un garçon comme Tommy, marqué par une enfance difficile.

Aussi rêvait-il... de fabuleux voyages de par le vaste monde, mais également d'un petit coin qui serait bien à lui. Une île peut-être. Pourquoi pas? Mais d'abord et avant tout, il rêvait de timbres... d'UN TIMBRE : le «Bluenose»!... celui sur lequel un minuscule petit garçon, dénommé Charles, était prisonnier. C'est dans le vieil album de timbres précieux que Ralph et lui avaient rapporté d'Australie, qu'ils avaient découvert la mystérieuse présence d'un personnage sur ce timbre pas comme les autres.

Ce jour-là, il s'était faufilé dans la maison du vieux professeur Bronson, et personne n'y avait fait attention. Ni Albert, le maître collectionneur de l'école, ni Ralph qui avait pourtant été son compagnon de voyage en Australie, ni Nancy la jolie sœur de Ralph qui intimidait un peu Tommy. Tout le monde était concentré sur l'album qu'on examinait à la loupe.

— C'est pas possible que Charles soit prisonnier de ce timbre, monsieur Bronson, s'exclama Nancy.

— J'ai bien peur que oui, ma belle, et en fait, il y est depuis 1930.

Nancy était consternée.

— Mais comment une telle chose a-t-elle pu se produire? demanda Ralph.

— Ça, je n'en ai pas la moindre idée.

Mais Albert en avait une, lui, une idée, et il l'énonça de façon péremptoire.

— C'est sûrement un collectionneur sans scrupule qui aura noté la présence de Charles sur le pont avant du *Bluenose*. Il l'a décollé de l'enveloppe, et le pauvre Charles ne s'est jamais rendu à destination...

Il faut dire que la découverte récente du petit groupe était assez fabuleuse. On pouvait voyager sur un timbre et aller partout au monde! Oh! mais attention, pas sans danger, Ralph et Tommy en savaient quelque chose! Ralph réfléchissait :

— Et si on s'adressait une enveloppe à nous et qu'on y collait le «Bluenose»? Peut-être qu'on pourrait délivrer Charles...

Une lueur s'alluma dans le regard de Tommy qui, jusque-là, était discrètement resté à l'écart.

— Tu crois que ça pourrait marcher? demanda Nancy.

— Peut-être bien, concéda Albert l'expert. Après tout, c'est la règle. Si le voyageur est livré à l'adresse inscrite sur l'enveloppe, il devrait logiquement se voir libéré du timbre. Ralph et Tommy en sont la preuve vivante...

— Essayons, s'écria Nancy. Qu'en dites-vous, professeur?

— Voilà une merveilleuse idée.

— Postons la lettre chez moi, je suis la personne tout indiquée pour recevoir Charles comme un roi, s'empressa de dire Albert.

Et il allait se lancer dans une savante démonstration de sa connaissance approfondie des timbres, quand Tommy l'arrêta :

— Tu veux rire? Si Charles réussit à sortir du «Bluenose», il va être tellement abasourdi par ton flot de paroles qu'il va vouloir remonter sur son bateau!

Incapable de décider s'il se sentait plus offusqué par le petit rire de Nancy ou par le commentaire de Tommy, Albert répondit brusquement :

— Il serait peut-être mieux dans ton taudis, hein Farceur?

Une ombre passa sur le visage de Tommy. Nancy intervint :

— C'est chez nous qu'il doit venir, nous serons deux pour l'accueilir...

— C'est évident, approuva Ralph, et d'ailleurs, c'est moi qui en ai eu l'idée.

C'était logique. Boudeur, Albert acquiesça à moitié, mais Tommy avait nonchalamment reculé de deux pas :

— Peut-être bien, mais quant à moi, je pense qu'il devrait aller chez monsieur Bronson. Après tout, Charles a au moins soixante-douze ans...

Coup de tonnerre! Toutes les têtes se tournèrent vers Tommy.

— Pouquoi tu dis ça? demanda Nancy.

— Mais pensez-y un peu! Si Charles est emprisonné sur le timbre depuis les années trente et qu'il avait à peu près notre âge à ce moment-là... Eh! bien, faites le calcul!

Et en calcul, Tommy s'y connaissait. Il ne se passait guère une journée, une heure, une minute sans qu'il élabore des plans pour gagner le million! Oh! si seulement il finissait par trouver le moyen d'aider sa mère à joindre les deux bouts!

— C'est bien possible qu'on ne vieillisse pas quand on est prisonnier sur un timbre, protesta Ralph. On reste peut-être figé dans le temps.

— Essayons, dit Nancy, on verra bien. Et si Charles est vieux, il pourra aller chez vous, monsieur Bronson?

Le vieil homme hésita un moment. C'est une chose que de discourir sur le sort d'un petit bonhomme sur un timbre, mais c'en est une autre que d'accueillir un vieil étranger chez soi. Pourtant, monsieur Bronson ne voulait pas décevoir ses jeunes amis.

— Oui, oui, bien sûr, dit-il, sans grande conviction.

— Et s'il est jeune, il viendra chez nous, reprit Nancy.

— Bien sûr, bien sûr, approuva le professeur avec enthousiasme.

C'est précisément à ce moment-là que la gentille femme du professeur s'amena dans la pièce avec un plateau de gâteries. C'était l'heure du goûter. Tout le monde se précipita vers la salle à manger. Tout le monde, sauf Tommy... qui, du coin de l'œil, s'assura qu'on l'avait bel et bien oublié. À petits pas, il s'avança vers l'album demeuré ouvert sur la table à café, où le «Bluenose» le narguait. Debout, immobile sur son pont, Charles semblait lui faire un clin d'œil. En tout cas, c'est exactement ce que Tommy crut voir, si bien qu'il fut incapable de résister. Délicatement, le cœur battant, il souleva le timbre à l'aide d'une petite pince.

— Allez, mon Charles, on s'en va, murmura-t-il en glissant le timbre dans sa poche.

En moins de deux, Tommy fut dehors, et c'est en trombe qu'il démarra sur sa bicyclette, en fonçant presque sur son fidèle ami Cass qui l'attendait non loin.

— Oh! oh! C'est moi le célèbre «Tommy Farceur»!

Cass le regarda, éberlué.

— Qu'est-ce qui se passe, Tommy?

Cass avait toujours l'air de ne comprendre les choses qu'au moins dix minutes après tout le monde, et Tommy prenait rarement le temps d'expliquer.

— Allez, je te dis! Suis-moi!

Et la course folle à bicyclette reprit de plus belle.

* * *

Pendant ce temps chez le professeur Bronson, le goûter s'achevait sans qu'une seule seconde le sujet de conversation n'ait dévié de Charles sur son *Bluenose*. Albert fut le premier à revenir à l'album, pour s'apercevoir avec horreur que le timbre avait disparu... Et Tommy avec!

— Encore ce Tommy, évidemment, ragea Albert.

— Oh mon Dieu! s'inquiéta monsieur Bronson.

Tout le monde était atterré. Albert fut le premier à se ressaisir.

— Ne vous inquiétez pas, je prends les choses en main, assura-t-il. Tu as ton vélo Ralph? Je peux le prendre?

Ralph n'eut pas le temps d'accorder la permission, Albert était déjà loin.

Car Albert connaissait le repère secret de Tommy! En effet, il faut bien avouer que la méfiance qu'il nourrissait envers ce sacré farceur de Tommy n'avait pas de bornes, et il l'avait suivi de loin à quelques reprises, histoire de prévenir les mauvais coups! Bien sûr il n'avait rien prévenu du tout, mais au moins il connaissait la cachette et ça lui était fort utile aujourd'hui.

Il n'avait pas vu Tommy traverser le vaste champ, comme un bolide sur sa bicyclette, ni se faufiler dans sa caverne suivi de Cass, mais il savait qu'il était là, et il avait raison.

Ce que Tommy qualifiait de caverne était d'ailleurs l'objet d'une légère exagération! C'était en fait un abri de marmottes abandonné, qu'il avait considérablement amélioré, sans doute, mais qui n'était pas encore du plus grand confort. Un trou élargi dont il avait bien tapé la terre et qu'il avait consolidé avec des pierres. Deux tabourets à trois pattes autour d'une planche qui servait de table, quelques niches creusées dans la terre en guise de rangement où il dissimulait ses trésors, une vieille couverture, un tuyau rouillé pour l'aération... Voilà ce qui constituait l'aménagement de son domaine. Mais attention, la pièce était éclairée d'une bonne demi-douzaine de bougies collées dans leurs propres dégoulinades au fond d'une assiette en aluminium.

La porte d'entrée n'était pas du plus grand luxe non plus, mais elle protégeait des intempéries. Constituée d'une résistante tôle ondulée posée à même le sol, elle était simple comme bonjour à déplacer, et c'est précisément ce que Tommy venait de faire en retirant les gros blocs de ciment qui la maintenaient en place.

Cass se laissa glisser dans le trou, et déjà il allumait les bougies. Tommy le suivit, au comble de l'excitation.

— Tu vas voir ce que tu vas voir, mon cher Cass! J'ai le grand honneur de te présenter celui qui a inventé... les voyages sur les timbres!

Bouche grande ouverte, Cass le regarda avec des yeux aussi ronds que s'il venait d'avaler une poignée de billes! Pourquoi Tommy racontait-il toujours des histoires rocambolesques?

— Regarde-moi cette merveille, jubila Tommy en posant le précieux timbre à côté des bougies.

Cass s'étira le cou pour mieux voir, mais il demeurait perplexe :

— Une merveille, Tommy? C'est quoi?

— C'est Charles, le garçon du *Bluenose*, et il va nous faire gagner une fortune...

Si Tommy avait été moins excité, il aurait perçu le danger, mais il était trop occupé à impressionner Cass qui s'exclamait :

— Une vraie fortune? Et qu'est-ce qu'on doit faire pour gagner ça?

— Oh! presque rien... Seulement libérer Charles de son timbre.

Une exclamation étouffée s'échappa au-dessus de leurs têtes. Même que le bout du vieux tuyau se déplaça de quelques centimètres, mais Tommy ne vit rien, et Cass encore moins.

— Évidemment, c'est super-secret...

Cass se renfrogna un peu. Quand Tommy parlait de secrets, ça voulait toujours dire des problèmes, et Cass n'aimait pas du tout les problèmes.

— Te rappelles-tu, continua Tommy, que je t'ai parlé d'une île?

Cass eut l'air hébété. D'abord le garçon sur le timbre, puis une fortune... et maintenant une île!

— Quelle île? demanda-t-il.

— Le royaume pour les jeunes, Cass, je te l'ai déjà dit.

— Ah! celle-là! fit Cass soulagé. Avec le bateau, le quai, les touristes... L'île qui va payer, tu veux dire.

— Ouais, c'est ça.

Tommy tira une superbe carte géographique très joliment illustrée qu'il déploya sous les yeux de Cass.

— Tu vois, là c'est Sorel, et tout près il y a là des centaines de petites îles, même des îles inhabitées...

— ... et que nous, on va habiter.

— T'as tout compris. Moi, toi, Charles... Lui, il sera le roi, et moi je serai, ben... disons, l'homme d'affaires.

— Et moi, Tommy?

Tommy tendit brusquement l'oreille. Un bruit léger, comme un tambourinement sur la tôle venait d'attirer son attention.

— Écoute! On dirait qu'il pleut, va voir ce qui se passe...

Cass se précipita sous le vieux tuyau et y colla son œil pour y repérer la couleur du ciel à l'extérieur. Aussitôt, quelques gouttes chaudes lui éclabous-sèrent le visage.

— Aïe!

Tommy s'était précipité aussitôt et d'un violent coup de poing avait fait voler le toit de fortune qui couvrait l'abri. En deux bonds, il fut dehors face à Albert qui terminait son petit besoin!

— Espèce de dégoûtant!

Albert prit l'air ahuri.

— Comment pouvais-je savoir que j'étais chez toi? Mais puisque tu es là, tu pourrais peut-être me rendre le «Bluenose» que tu as volé?

Tommy masqua sa rage d'avoir été découvert, derrière un petit sourire cynique.

— Moi? Voler le «Bluenose»? Tu es fou! Je l'ai simplement emprunté pour l'examiner. Il est là, dit-il en montrant son abri souterrain. Va le chercher!

Albert hésita, pris à son propre piège. Il n'avait manifestement pas envie de s'engouffrer dans le trou de Tommy.

— Alors, Albert l'expert, tu as la trouille? demanda Tommy, narquois.

Le pauvre Albert n'eut d'autre choix que de s'exécuter. Il se laissa glisser dans l'ouverture béante. Pourtant, il aurait dû savoir! Il ne fut pas aussitôt dans le trou que la tôle lui bloqua la lumière du ciel et, qui plus est, il entendit les blocs de ciment qui tombaient dessus avec un bruit sourd.

— Tommy, arrête, ce n'est pas drôle du tout! Laisse-moi sortir!

— Salut, Albert, chantonna Tommy...

Du fond du trou, Albert entendit grincer les roues des bicyclettes...

Pendant un long moment, c'est avec l'énergie du désespoir qu'il tenta de soulever la tôle au-dessus de sa tête, mais ce fut peine perdue. Albert commençait à croire qu'il allait devoir passer la nuit dans le trou. Il jurait à tue-tête contre Tommy, si fort qu'il n'entendit même pas les pieds qui foulaient les broussailles au-dessus de lui! C'était pourtant ce qu'il avait souhaité avec la plus grande ardeur. Il commençait à sentir de légers picotements au bord des cils lorsqu'il perçut une voix.

— Albert! Albert! Tu es là?

Il se ressaisit aussitôt. Ce n'était quand même pas ce drôle de Cass, qu'il considérait comme l'ombre de Tommy, qui allait le prendre en flagrant délit de larmes! Il prit sa voix la plus détachée possible pour répondre :

— Eh ben non, je suis parti depuis quinze minutes!

— Ah bon, répondit Cass, l'air soulagé.

Oups! Albert se rendit compte aussitôt de son erreur. Ce naïf de Cass était bien capable de le croire!

— Mais bien sûr que je suis là, s'empressa de corriger Albert d'une voix un peu plus aiguë qu'il n'aurait souhaité.

Un peu confus, Cass se mit quand même à déplacer les blocs de ciment. Albert n'eut même pas besoin de son aide pour faire sauter la tôle.

— Merci Cass, daigna prononcer Albert, tu es gentil.

Cass sourit timidement.

— Oui, mais il ne faut le dire à personne, hein?

— D'accord. On se tait tous les deux,

dit Albert avec un clin d'œil.

Albert ne savait pas très bien combien de temps avait duré sa mésaventure, mais chose certaine, là-bas tout le monde l'attendait avec impatience. Pas trop fier, il entra bientôt chez monsieur Bronson. Nancy cria aussitôt :

— Tu as le timbre? Tu l'as récupéré?

— Ouf! mes cheveux sont pleins de terre, louvoya Albert.

— Mais encore, tu l'as ce timbre?

— Eh! ben, non, mais au moins je sais ce qu'il a l'intention d'en faire et je sais aussi qu'on pourrait s'allier Cass.

Les autres le regardaient comme s'il tombait du ciel. Qui parle de Cass? C'est le timbre qu'on voulait. Imperturbable, Albert continua :

— Il veut créer un royaume pour les jeunes. C'est Charles qui sera le roi. Et puis il va produire des timbres avec Charles dessus et les vendre aux touristes. Et il va se mettre de l'argent plein les poches. Il s'est même trouvé une île, *son* île, et c'est dans la région de Sorel.

Albert n'avait pas repris son souffle une seule fois. Une lueur d'admiration dans les yeux, Ralph s'exclama :

— Fallait y penser, c'est un génie!

Nancy lui lança un regard étonné.

— Ça va pas, Ralph?

Puis s'adressant à Albert :

— Ça pourrait marcher son histoire?

— Oh! ça, j'en sais rien.

Monsieur Bronson hochait la tête.

— Qui sait? Il y a bien des îles privées au monde qui impriment leurs propres timbres...

Ralph l'interrompit.

— Mais à qui il les vendrait, ses timbres?

— Aux collectionneurs, bien sûr! Ils adorent acheter des timbres qui viennent d'endroits inhabituels. Alors des timbres d'une petite île de Sorel, vous pensez bien, ça fait original.

Nancy bondit de sa chaise.

— Sorel? Mais qu'est-ce qu'on attend Ralph? On a une tante qui vit là! On pourrait lui rendre une petite visite et en même temps... on arrête Tommy! On ira sur un timbre, ce sera plus rapide.

Albert protesta aussitôt :

— Moi, je ne peux pas y aller, j'ai ma clinique de philatélie demain...

Nancy lui lança un regard narquois.

— Ta clinique? Et tu trouves ça plus important que d'arrêter Tommy!

Albert se tortilla vaguement sur sa chaise en se lançant dans une explication sans fin.

— Les enfants vont pleurer si je ne suis

pas là, ils vont mêler leurs timbres... Et peut-être qu'ils ne viendront plus au club et leurs albums seront tout à l'envers, et...

Nancy l'arrêta d'un geste, l'air de dire : «Ça va, ça va, cause toujours, poltron!» Et elle se tourna vers Ralph.

— Et toi? T'as une clinique de quoi demain?

— Euh... Je ne suis pas très sûr que ce soit une très bonne idée d'aller à Sorel. Mais si tu y tiens tant que ça, tu peux y aller, moi je reste avec lui, dit Ralph en posant une main protectrice sur l'épaule d'Albert.

Monsieur Bronson eut beaucoup de peine à dissimuler un sourire.

* * *

Le lendemain, le ciel était pur et clair. «La journée parfaite pour voyager», pensa Nancy en suivant Ralph qui la précédait sans enthousiasme sur un trottoir achalandé et, bien sûr, à proximité d'une boîte aux lettres. Il valait quand même mieux ne pas trop tenter le sort. Sait-on jamais? Nancy voulait bien aller à Sorel, mais pas rester prisonnière du timbre comme le pauvre Charles.

Une belle grande enveloppe à la main, Nancy s'appliquait déjà à y coller les timbres qu'elle avait soigneusement sélectionnés, particulièrement celui sur lequel elle allait voyager. Le choix était vaste. Elle pouvait partir sur les ailes d'un oiseau ou, comme Ralph, en Chine sur un cerf-volant, ou encore dans la grande poche d'un kangourou comme Ralph et Tommy à leur retour d'Australie... Or, Nancy choisit une championne sportive. Ce fut sans doute le beau sourire de l'athlète sur le timbre qui l'attira, mais aussi — surtout — ses skis rouges sur la neige éclatante de blancheur. Ses skis qui avaient dévalé les montagnes et lui avaient valu des championnats olympiques. «J'ai les meilleures chances au monde d'arriver vite à destination si je voyage avec elle sur ses skis», pensa Nancy, et puis, quel délice de faire une course sur la neige au beau milieu de l'été. Elle sourit aux yeux sur le timbre, qui la regardaient sous le bonnet de laine coloré. «Merci», murmura-t-elle méticuleusement, elle colla la skieuse dans le coin supérieur droit de l'enveloppe. Ralph l'observait nerveusement.

— Tu sais, glissa-t-il, avec Tommy on ne peut jamais savoir. Je préférerais vraiment que tu n'ailles pas, c'est dangereux.

— Arrête Ralph, t'as pas à t'inquiéter, je te jure. C'est pas parce que je suis une fille que je suis moins brave que toi.

Non loin, un homme-orchestre sautillait sur place au beau milieu du trottoir. Le bruit assourdissant de sa panoplie d'instruments couvrait presque les paroles de Ralph. Tambour accroché au dos, mandoline au bras, cymbales suspendues au cou, clochettes aux pieds, à lui seul le bonhomme aux pantalons rayés de dix couleurs faisait plus de tintamarre qu'une fanfare au complet. Ralph haussa le ton.

— Et toi, t'as pas à me prouver ton courage ! C'est très, très dangereux, Nancy.

Elle balaya le commentaire de Ralph d'un geste agacé.

— T'as pas voyagé sur les timbres, toi, peut-être ? Et mille fois plus loin ! Alors, c'est pas le moment de parler de peur quand la vie de Charles est en danger. Allez, éloigne-toi un peu.

Ralph recula à contrecœur.

— Un, deux, trois... commença Nancy.

Tout bas, Ralph compta avec elle jusqu'à dix, puis, sans même s'en apercevoir, il cria :

— Allez, vas-y !

Nancy tenait la lettre de ses deux mains comme le prescrit la loi du voyage sur les timbres. Les yeux fermés, elle récitait l'incantation magique :

— Je suis prête à partir, prête à rapetisser...

— ... prête à voyager sur un timbre, souffla Ralph malgré lui.

En effet il connaissait bien la formule magique puisqu'il s'en était servi trois fois lors de ses propres voyages.

— Je pars sans peur, continua Nancy... Sans aucune crainte.

Puis Nancy desserra les doigts et l'enveloppe tournoya lentement vers le sol.

— Oh! non, cria Ralph affolé, elle a oublié une phrase!

Trop tard! Le tourbillon magique avait déjà saisi Nancy. Elle devenait petite, de plus en plus petite, minuscule. Elle s'engouffrait dans la neige molle devant les skis de la célèbre athlète qui souriait sur le timbre, mais pas tout à fait, car sa tête sortait toujours de l'enveloppe.

— Nancy, tu es juste à moitié rentrée, continue, fais quelque chose, sinon tu vas te faire écraser! Vite, répète la dernière phrase : «Je suis prête à cheminer de par le vaste monde...»

Malgré l'homme-orchestre qui attirait l'attention des passants avec sa musique endiablée, une jeune punk aux cheveux mauves avait observé la scène de loin. Assise sur un muret, elle balançait ses bottines noires à boutons en léchant négligemment une grosse boule de glace aux fraises. De plus en plus intriguée par les gestes frénétiques de Ralph, elle s'approcha.

— ... Je suis prête à cheminer de par le vaste monde, répéta la petite voix lointaine de Nancy déjà presque toute engloutie dans l'enveloppe qui gisait sur le sol... À peine eut-elle prononcé le dernier mot qu'elle se retrouva bien en équilibre sur les skis de la championne, au grand soulagement de son frère.

— Bravo! s'exclama Ralph en se penchant vers le timbre.

— Ça y est! cria Nancy.

Crier, c'est beaucoup dire. Car même si la jeune punk avait tendu l'oreille, à genoux sur le trottoir, elle n'avait pas pu percevoir la voix de Nancy à travers le tapage des cymbales. Éberluée, elle regarda Ralph qui parlait aux timbres.

— Tu es tombé sur la tête, quoi?

Non, mais la remarque ramena Ralph sur terre. Il leva les yeux et rougit légèrement. Heureusement, l'intervention inespérée d'un inconnu le sauva. Un homme d'affaires qui passait par là, serviette à la main, avait de loin remarqué la jeune punk qui tiraillait l'anneau piqué dans son oreille gauche d'un air perplexe. Elle regardait Ralph qui fixait le sol. L'homme aperçut l'enveloppe. Il s'arrêta, l'air amusé. Ébouriffant de sa main les cheveux de Ralph, il demanda :

— On ne t'a jamais dit qu'il faut toujours poster les lettres perdues? Sans hésitation, il ramassa l'enveloppe, qu'il déposa aussitôt dans la boîte à deux pas de là.

— Ouf! soupira Ralph, ça y est, elle est partie!

Ce n'est pas par hasard que le voyage de Nancy avait débuté sur un trottoir bondé de monde. Elle et son frère connaissaient fort bien les règles et l'une d'elles précisait que la lettre devait être mise à la poste par un inconnu qui n'avait aucun lien avec le voyageur. Encore fallait-il qu'il s'en trouve un au bon endroit et au bon moment!

— Merci, gentil monsieur, murmura Ralph en faisant un grand salut devant la punk en noir qui secoua sa crinière mauve comme pour retrouver ses esprits.

* * *

On se rappellera que, la veille, Albert n'avait évidemment pas trouvé le timbre qu'il cherchait au fond du trou de Tommy, pour la bonne et simple raison que Tommy l'avait dans sa poche. Au moment même où Nancy amorçait son petit voyage vers Sorel, Tommy, lui, s'affairait. Maintenant qu'il avait le «Bluenose» en main, donc la clé pour réaliser son projet de royaume, il avait mille choses à prévoir. Bien sûr, il devait tout préparer avant que Charles ne sorte de son timbre et d'abord, les TIMBRES de son île!

Avec Cass à ses trousses comme toujours, il venait d'entrer dans un grand bâtiment gris. Dès le seuil de la porte, Cass entendit le son des roues qui grinçaient et de dizaines d'aiguilles qui piquaient d'épais tissus de toile : «Clic, clic, clic, clic...» Une manufacture de vêtements!

— Eh! qu'est-ce qu'on fait ici, Tommy? chuchota Cass.

Naturellement, Tommy ne daigna ni se retourner, ni ralentir le pas. Il se faufilait parmi les ouvrières assises à leur machine à coudre. En coup de vent.

— On fait une collecte pour le royaume, annonça-t-il en heurtant au passage une dame qui se levait de sa chaise.

— Oh! pardon, Madame.

Les têtes se tournèrent vers les deux intrus, mais Tommy avait trouvé celle qu'il cherchait. Il mit la main sur l'épaule de sa mère qui sursauta.

— Tommy! Qu'est-ce que tu viens faire ici?

— Emprunter ta machine, maman.

— Quoi?

— Oh! seulement pour cinq petites minutes.

— C'est pas réglementaire, hésita-t-elle en se levant tout de même, péniblement, de sa chaise. Fais vite, hein?

Déjà installé, Tommy avait sorti de sous son bras un grand rouleau de papier, qu'il étalait sur la machine. La carte des îles de Sorel! L'aiguille craquait le papier, d'abord de haut en bas, puis virage, puis de bas en haut, et encore une ligne à toute vitesse. Autour de lui, les femmes s'étaient arrêtées.

— Qu'est-ce qu'il fabrique? demanda
l'une.

Sa voisine haussa les épaules. Une
idée de fou, sans doute. Depuis quand
cousait-on du papier? Mais personne ne
vit venir le patron, soudainement alerté
par ce silence anormal. De loin, il reconnut Tommy dont la réputation était d'ailleurs déjà établie dans le quartier. Il se
planta devant lui.

— Tu joues à quoi, Farceur?

— Salut Sol, dit Tommy familiè-
rement sans cesser de coudre. Il finit
de piquer la dernière ligne et exhiba la
feuille pointillée sous le nez du patron.

— Vous voulez des timbres? Ça pourrait être utile à votre commerce.

L'homme éclata de rire.

— Veux-tu me dire où tu pêches tes idées? T'appelles ça des timbres, toi?

— Eh! oui, c'est comme ça qu'on les fabriquait au Tibet dans le bon vieux temps. Dites, vous voulez investir dans mon royaume?

— Ah! bon, parce que tu as aussi un royaume! dit le contremaître en levant les yeux au ciel.

— Absolument! et voici ses timbres!

L'homme se tourna vers la mère de Tommy :

— Vous n'êtes pas découragée d'avoir un fils «timbré» comme ça?

Les rires fusèrent de partout.

— Allez, file, tu déranges tout le monde. Ça suffit!

Tommy plaqua un baiser sur le front de sa mère et traversa la salle nonchalamment, toujours son incontournable Cass sur les talons.

— Tommy, lui cria sa mère, pourrais-tu porter mon colis au bureau de poste...?

Tommy fit celui qui n'avait rien entendu. Il sortit la tête haute, ce qui ne l'empêcha pas de se diriger tout droit vers le bureau de poste, car il avait déjà le colis avec lui.

Il aimait bien sa mère, même s'il ne

trouvait jamais les mots pour le dire. Depuis si longtemps qu'elle trimait dur pour élever ses frères et sœurs, ça n'avait jamais été facile... L'air de rien, Tommy cherchait toujours mille et un petits trucs pour l'aider. Pourquoi pas faire fortune avec les timbres, hein?

— Arrive, Cass, on est pressés!

Il poussa la porte du bureau de poste et repéra aussitôt Jacques, le jovial facteur du quartier. Avec quelques-uns de ses collègues, il était justement en train de classer le courrier. Tommy s'approcha de lui subrepticement et lui donna une tape sur l'épaule. Le gros homme joufflu poussa un cri en se retournant.

— Ah, c'est toi, Farceur! Tu m'as fait peur. Il fallait que tu m'arrives par-derrière? Comme si je n'avais pas assez des chiens du quartier qui me sautent dessus!

Cass éclata de rire! Lui non plus, il n'aimait pas beaucoup les chiens qui lui couraient après, en bicyclette.

— Tiens, dit Tommy, un colis de plus pour toi.

Jacques tendit la main, puis se ravisa.

— Eh! ben, justement, dit-il en riant, j'ai ta copine ici qui part en voyage. Oh! pas loin, seulement à Sorel...

Il baissa le ton et se pencha vers Tommy.

— Tu voudrais pas me refiler ton secret? Je détesterais pas ça un petit voyage sur un timbre...

Les yeux de Jacques étaient pleins de rires, mais Tommy venait d'être frappé par la foudre. Il n'avait rien entendu, sauf un mot, un seul : SOREL!

— Qu'est-ce que tu racontes, Jacques?

— Ben oui, tu sais, ta copine Nancy qui habite la grosse maison de pierres? Elle s'en va à Sorel en skis, sur un timbre...

Tommy se retourna vers Cass.

— Non, mais tu te rends compte? Elle est déjà sur nos traces celle-là, alors que nous, on est encore ici! Arrive mon vieux!

Oh! merci, Jacques. T'es vraiment un as...

— Et ton secret, Tommy? demanda Jacques en riant.

* * *

Destination Sorel : ça urgeait, mais encore fallait-il s'y rendre! Les préparatifs du voyage mirent un peu de temps, mais Tommy savait ce dont il aurait besoin. Pas grand chose en fait, pour cette première tournée exploratoire. Mais au moins une tente...

«Quel dommage que Nancy me force à faire ce petit détour imprévu», pensa Tommy. Tant pis! Au moins, il avait l'adresse où la dénicher grâce à ce brave Jacques qui lui avait montré l'enveloppe. Il fallait faire vite, et surtout arriver avant elle. Mais comment y aller? En auto-stop évidemment, et il eut de la chance. Après dix minutes à peine, une voiture s'arrêtait. Oui, l'automobiliste passait par Sorel...

Jamais encore Tommy n'avait mis les pieds dans cette ville située sur les rives du fleuve, mais combien de fois n'avait-il pas rêvé aux petites îles qui la bordaient? Des centaines, des milliers de fois! Îles habitées, mais aussi d'autres, sauvages, dont se dégageait un mystère qui le fascinait et sur lesquelles il avait tout lu.

Sur la carte géographique qu'il avait minutieusement examinée, il avait même repéré et très précisément identifié celle qui allait devenir son royaume. Bien malin qui aurait pu dire pourquoi il avait choisi celle-là! Une tache de couleur particulière sur la carte, peut-être? En tout cas, elle portait le nom d'«île aux Fantômes» et elle était inhabitée. C'était suffisant pour Tommy.

La voiture venait de les déposer, Cass et lui, devant la porte d'un jardin, mais d'un drôle de jardin qui n'avait de vrai que la porte! En effet, elle donnait sur un pont de corde branlant qui enjambait un épais marécage et, tout au bout du pont, il y avait une maison cachée dans la verdure, celle de la tante de Nancy.

Tommy ne mit qu'une seconde à trouver ce qu'il cherchait : la boîte aux lettres! En forme de maisonnette pour protéger le courrier des intempéries, elle était accrochée à la porte, bien visible et invitante.

Tommy fit signe à Cass de rester derrière. Il s'avança vers la boîte en jetant un regard circulaire. Personne à l'horizon. Pourvu qu'il ne se soit pas trompé d'adresse et, surtout, que le facteur soit passé! Le cœur battant, il souleva le toit. Ouf! une longue enveloppe blanche qu'il reconnut aussitôt. Nancy était rendue et n'attendait plus qu'une main charitable pour la délivrer du timbre. Vit-elle le sourire gouailleur de Tommy?

Triomphant, il brandit l'enveloppe au bout de son bras.

— Qu'est-ce qui se passe, Tommy? demanda Cass en s'approchant.

D'un geste, Tommy le cloua sur place.

— Reste là!

La porte du jardin céda facilement sous la poussée de Tommy qui s'engagea sur le pont. À deux mains, il tenait l'enveloppe sous son nez, le regard fixé sur l'image d'une petite fille, pieds dans la neige. Derrière elle, la skieuse prenait son élan.

Soudain, une petite voix éraillée hurla :

— Tommy!

Sur le timbre, deux yeux minuscules se remplissaient de terreur, auxquels Tommy répondit par un clin d'œil. Le pont léger ondula sous le poids du garçon qui venait de s'arrêter au beau milieu. Appuyé sur le cordage, il avança l'enveloppe au-dessus du marais.

Sentant confusément le drame, Cass s'était précipité sur la porte...

— Qu'est-ce que tu fais, Tommy?

Une bataille muette se livrait dans le regard qu'échangeait Nancy avec son bourreau : Tommy venait de saisir le coin de l'enveloppe, et ses doigts la déchiraient avec une lenteur appliquée.

Bien sûr, d'une certaine façon, il était aussi son sauveteur puisqu'il la délivrait du timbre. Qui sait, sans lui Nancy y serait peut-être restée pendant soixante-douze ans, comme Charles? Tommy connaissait la règle qui voulait que le voyageur du timbre ne puisse être délivré qu'une fois rendu à destination, mais encore fallait-il que la lettre soit décachetée. Sauf que la règle ne précisait pas par qui – et pour le plus grand malheur de Nancy, ce jour-là, c'est Tommy qui venait de s'en charger!

Le tourbillon magique s'éleva dans les airs avant même que Cass ait compris ce qui arrivait. Nancy tournoyait comme une feuille au vent, prisonnière du cyclone multicolore. Mais hélas, le tourbillon diminuait, s'apaisait, lâchait sa proie au-dessus du marais. Nancy tomba comme une roche dans un formidable jaillissement d'eau boueuse.

Cass dévala la pente vers l'étang.

— Eh! Cass, te mêle pas de ça!

Cass s'arrêta net sur sa lancée, et Tommy ne vit pas son regard désapprobateur, car il regardait ailleurs. Dégoulinante, Nancy s'extirpait avec peine

des quenouilles et des nénuphars au milieu d'un concert de grenouilles en colère. Ses yeux lançaient des éclairs et sa voix s'étouffa lorsqu'elle hurla :

— Je - te - déteste!

Elle faillit de nouveau perdre l'équilibre en voyant la moue railleuse de Tommy qui lui envoyait un baiser. Il ne resta même pas assez longtemps pour la voir se tirer du marais et se diriger vers la maison de sa tante...

* * *

Pendant ce temps, dans un local de l'école, Albert l'expert tenait sa séance de philatélie. Pompeux et solennel dans son sarrau blanc, il sermonnait les enfants.

— Erreur! Erreur grave! Ne jamais placer les timbres de deux pays sur une même feuille...

Tel que promis Ralph l'accompagnait, mais il avait la tête ailleurs. Comme un automate, il tapa sur l'épaule d'Albert et murmura :

— Je crois qu'on devrait aller à Sorel...

Albert ne daigna surtout pas tourner la tête :

— Ah non, ça c'est une catastrophe! dit-il à un des jeunes philatélistes. Tu as tout collé les timbres!

Ralph insista :

— J'ai téléphoné à Sorel tout à l'heure, Nancy n'est pas encore là...

S'il y avait un endroit au monde dont Albert n'avait pas envie d'entendre parler, c'était bien Sorel!

— Ce serait étonnant qu'elle y soit déjà, tu l'as postée hier seulement...

Et sans manquer une seule respiration, il reprit son savant discours sur les timbres devant son jeune auditoire médusé.

* * *

Comment Tommy s'était débrouillé pour trouver aussi vite une chaloupe à

moteur pour les conduire à son île, Cass
et lui, on ne le saura jamais, mais assis
avec Cass à l'avant de l'embarcation, ils
filaient déjà à vive allure sur les canaux
sinueux qui contournaient les îles. Le
vent doux et les goutelettes d'eau qui lui
volaient au visage ravissaient Tommy.
Son éternel chapeau à carreaux bien
collé sur les oreilles, Cass, lui, semblait
moins convaincu. Bien sûr, on apercevait ici et là des habitations sur les
îles, mais en cette fin d'après-midi il n'y
avait pas beaucoup d'habitants. Pour
comble, le conducteur du bateau n'était
pas plus rassurant qu'il fallait. Avec ses
longs cheveux noirs jais, sa cordelette
de cuir tressé sur le front et son silence

interminable. Non, vraiment pas loquace, cet Indien! En fait, il n'avait pas émis le moindre son. À croire qu'il était muet!

Mais sous les yeux émerveillés de Tommy, le paysage défilait. Là, un arbre tordu par l'âge, au loin un grand oiseau qui se posait doucement sur le sable mouillé... Il faillit perdre l'équilibre quand l'embarcation fit un virage soudain dans un étroit canal bordé d'arbres, puis ralentit sa course. Cass regarda par-dessus son épaule. L'homme était toujours là, main sur la poignée du moteur, immobile, yeux mi-clos.

«J'espère qu'il sait où il va», pensa Cass avec une pointe d'inquiétude.

Le canal s'était encore rétréci, et le bateau ne voguait plus qu'à douce allure. Plus une seule habitation en vue. Les garçons regardaient droit devant eux, cherchant à repérer l'île aux Fantômes. Puis, une note aiguë s'éleva dans le soir naissant, un son mince, continu, filiforme. Ce fut Tommy qui, le premier, tourna la tête. Le bruit du moteur s'était tu.

Assis à l'arrière de l'embarcation, l'homme avait levé les bras. Ses index joints à ses pouces formaient deux cercles étranges au-dessus de sa tête, pendant que de sa gorge s'échappait cette note, longue et douce comme une incantation.

Cass n'eut pas le temps d'être terrifié, car son insu, la barque avait déjà touché le vieux quai de bois vermoulu qui venait à leur rencontre dans le canal. Du coup, Tommy fut debout. Son île! Les bagages furent sur le quai en un éclair, et Tommy sauta de la chaloupe. Cass le suivit, beaucoup plus lentement, surtout qu'il venait d'apercevoir un étrange crâne chevelu, piqué sur un poteau au beau milieu du quai. Il jeta un regard inquiet à l'Indien qui avait déjà fait demi-tour avec son bateau et repartait en sens inverse. «C'était ça sa chanson? Il saluait le crâne», pensa Cass en frissonnant. Mais il n'eut pas le loisir d'y penser plus longuement. La pluie tombait, fine et drue, et Tommy venait de mettre pied sur «son» île! Probablement aussi heureux que Christophe Colomb lorsqu'il toucha terre en Amérique après son long voyage.

— Une merveille! s'écria-t-il en prenant Cass à témoin.

Il s'avisa soudain que leur guide repartait et il courut au bout du quai.

— Eh! cria-t-il, si vous voyez le *Banjo*, envoyez-le ici!

L'Indien avait-il entendu sa requête? Cass pour sa part, était resté planté sur les planches vermoulues et regardait la végétation devant lui, dense et touffue :

— Es-tu... bien sûr que c'est une île, ça?

Tommy haussa les épaules.

— Ça n'a aucune importance, Cass. C'est ici même que Charles descendra de son timbre, et c'est ici qu'on viendra de partout pour voir cet endroit, qui deviendra célèbre. Ils viendront tous voir le mystérieux garçon, et nous, on leur vendra des timbres. C'est pas merveilleux, non?

Cass fit la moue, pas du tout convaincu, et Tommy le poussa en riant.

— Allez, bouge! Monte la tente, sinon on va être trempés comme des éponges.

Cass s'exécuta en se traînant les pieds pendant que Tommy donnait les ordres et prenait possession de son royaume.

«Un royaume? pensa Cass en pataugeant dans les joncs pour tirer les bagages au sec. Ça ressemble plutôt au marais de Nancy!»

— C'est ici qu'on mettra le bureau d'accueil, décida Tommy qui s'était avancé plus avant dans ses terres. Et là, on bâtira le magasin de souvenirs...

Il aperçut Cass qui venait à l'aveuglette dans sa direction, la tente en équilibre sur sa tête.

— Très bien, pose la tente juste là, Cass. C'est parfait.

Cass lâcha la tente avec soulagement.

Les garçons n'investirent pas beaucoup de temps dans la reconnaissance des lieux. C'était simple : de l'eau, de la verdure, de la verdure et... des moustiques! Tommy s'en écrasa quelques-uns sur la joue en courant à toutes jambes vers le quai. Il venait d'entendre un bruit de moteur. Un bateau passait devant son île.

— Eh! là-bas, cria-t-il, si vous voyez le *Banjo*, envoyez-le par ici!

Message reçu? Comment savoir. Tommy rejoignit Cass qui avait amassé un gros tas de branches devant la tente.

— Un feu, ça éloigne les moustiques, non?

— Ouais, bonne idée, Cass.

«Et c'est rassurant», pensa Cass en frottant une allumette.

Le soir était tombé. Sur le canal, on pouvait distinguer un léger brouillard qui, au gré du vent, prenait des formes étranges. Des voiles sans têtes, des doigts qui s'étiraient vers le ciel et se perdaient dans le noir. Un murmure, un sifflement... Ou était-ce un animal? Cass riva son regard sur les flammes qui dansaient devant lui.

— Tommy? Tu crois vraiment que Charles va se plaire ici?

— Évidemment, assura Tommy tout en évitant de regarder Cass. Tu vois, toi, tu es content!

— Un bon hamburger au fromage, ça serait pas mauvais...

L'estomac de Tommy cria un bon coup. Pendant un long moment, songeur, il fit virevolter la rondelle de verre qu'il venait d'accrocher au bout d'un fil à l'entrée de la tente. Son porte-bonheur y était collé : le «Bluenose»! Le vent siffla un air sur le canal. Le vent? Cass avait bondi.

— Eh! Tommy, tu entends? Qu'est-ce que c'est?

Aux sons grêles s'étaient joints une nuée de feux follets dans le brouillard du canal. Cass claqua des dents et un léger frisson parcourut l'échine de Tommy. Cass recula au fond de la tente, mais les sons se rapprochaient, prenaient l'allure d'un filet de musique et, bizarrement, les feux follets semblaient s'agglomérer autour d'une forme qui coulait sur l'eau. Tommy se leva.

— Eh!... oh! cria une voix. L'île aux Fantômes, il y a quelqu'un?

Tommy se précipita si vite vers la rive que Cass eut à peine le temps de sortir de la tente. Allumé de tous ses feux, un bateau accostait au quai. Un bateau rouge et jaune orné de longs fils sur lesquels dansaient des centaines de points lumineux comme sur un arbre de Noël. Mais au lieu d'un ange, c'était un énorme banjo qui le surmontait. Cass respira un bon coup, un large sourire éclaira son visage. Enfin, une âme qui vive! Il rattrapa Tommy sur le quai.

— Quelqu'un ici a réclamé le *Banjo*? demanda du pont un gros homme ventru, au visage replet.

Il lança un cordage sur un poteau du quai, et le bateau illuminé s'immobilisa.

— Bonsoir... Vous êtes bien Gaétan? demanda Tommy, hésitant.

— Qui veut savoir? grogna l'homme perché sur son pont.

— Ouf! j'ai cru que vous n'alliez jamais venir! C'est moi, Tommy.

— Tommy? Et après? Tommy qui?

Une petite carte d'affaires passa aussitôt de la main de Tommy à celle du bonhomme.

— Tommy Farceur, lut à haute voix le dénommé Gaétan... Représentant et négociant en timbres.

— Pour vous servir, dit fièrement Tommy, et voici mon partenaire, ajouta-t-il en montrant Cass derrière lui.

«Son partenaire? Voilà qui est bien!» pensa Cass dont le visage s'éclaira d'un large sourire. Mais Gaétan s'impatientait.

— Et alors, monsieur Tommy Farceur, qu'est-ce qui est donc si pressé?

— Eh! ben, je voudrais...

— Surtout, fais vite, hein! Mon heure de coucher est déjà passée.

— Je peux venir à bord?

Gaétan lui fit signe de monter, et Tommy s'empressa d'obéir, très impressionné par le bateau, malgré ses airs fanfarons.

— Mais ne touche pas à mes biscuits!

Tommy suivit le geste de la main de Gaétan et aperçut des rayonnages pleins de friandises de tout acabit.

— Wow! Une épicerie flottante, c'est... génial!

Gaétan fit la moue. Génial? Fallait pas exagérer! Des biscuits, du lait, des crous- tilles, cinq pots de beurre d'arachides et, évidemment, du sirop d'érable!

— J'ai déjà lu dans un journal un article qui parlait de vous, continua Tommy.

— Bon, bon, ça va, mon gars, arrête tes sottises.

— C'est vrai, protesta Tommy, l'article parlait de votre bureau de poste flottant, et ça, vous voyez, ça me passionne.

— Mon bureau de poste? Dans ce cas- là, je l'avoue, on peut parler de génie!

Le bonhomme eut un large sourire satisfait.

— Tu veux le visiter? Alors, suis-moi, c'est en bas.

Un toussottement sur le quai attira l'attention de Tommy. Cass attendait l'invitation...

— Oh! Cass, va monter la garde de Charles, tu veux?

Résigné, Cass vira les talons en marmonnant et regagna lentement la terre ferme, poursuivi par les notes grêles du *Banjo*.

Gaétan s'engagea dans l'escalier qui menait dans la cale, suivi de Tommy. Quelle ne fut pas la surprise de celui-ci en apercevant un véritable bureau de poste! Sur le mur, les cases alignées contenaient une bonne centaine de lettres de toutes les formes et de toutes les couleurs. Celles qui arrivaient, celles qui partaient...

— Ah!... tu étais là, toi, dit Gaétan en saisissant un furet tout blanc, à moitié dissimulé dans le courrier.

— Tommy, je te présente mon ami Freddy...

Mais Tommy n'avait d'yeux que pour la merveille qui s'étalait devant lui.

— ... et voici le célèbre bureau de poste du *Banjo*! annonça Gaétan en prenant place dans le fauteuil du maître.

D'un coup sec, il frappa une lettre de son marteau oblitérateur, comme pour affirmer son autorité sur les lieux.

— C'est... c'est la perfection! souffla

Tommy encore plus ébahi qu'il n'y paraissait.

— Regarde cette lettre, dit Gaétan en repoussant de son front dégarni le chapeau de cuir jaune qui lui servait de couvre-chef.

Il oblitéra avec précaution, comme pour ne pas l'abîmer, le magnifique timbre où souriaient les célèbres Amoureux de Peynet.

— Une belle histoire d'amour! Elle lui écrit de Paris tous les jours, et c'est moi qui livre la missive. J'adore ça!

Tommy avait pris son air des grands jours, il avait l'expression de qui vient de découvrir le Pérou.

— Vous savez, Gaétan, c'est mirobolant! Mon idée cadre avec la vôtre comme une main dans un gant.

Gaétan eut l'air de dégringoler du septième ciel. De quoi il se mêlait, ce gamin?

— Ton idée? répliqua-t-il, bourru, en se levant de son siège. Désolé, mais les miennes me suffisent!

Le visage de Tommy vira au blanc. Sa voix se fit tout à coup suppliante.

— Attendez, Gaétan! J'ai fait tout ce long chemin pour vous montrer quelque chose d'extraordinaire.

Le bonhomme remontait déjà sur le

pont, Tommy le rattrapa en deux enjambées.

— Regardez, dit-il en tirant un album de la poche intérieure de sa veste. Des timbres fabuleux qui proviennent d'îles dont personne ne connaît l'existence.

Malgré lui, Gaétan tourna la tête. On n'est pas impunément le grand maître de poste du *Banjo*. Qui dit «poste», dit «timbres»!

— Quelqu'un, quelque part, a fabriqué ces timbres, poursuivit Tommy, et ce quelqu'un les a vendus.

Gaétan ne voyait pas très bien où cet encombrant gamin voulait en venir.

— Vendu à qui?

— Aux collectionneurs, bien sûr, et nous pourrions en faire autant...

Décidément, l'insistance du garçon exaspérait de plus en plus Gaétan.

— L'heure de me mettre au lit est passée depuis longtemps, file...

— Attendez! On pourrait fabriquer des timbres et y mettre votre bateau!

— Mon bateau?

— Et la photo de Charles dessus, marmonna Tommy.

— Qui?

— Je vous expliquerai... Tout ce que vous avez à faire est de livrer une lettre ici.

— Ici? s'étonna le maître de poste en jetant un regard le quai vermoulu.

Tommy débitait ses arguments avec l'énergie du désespoir. Il fallait absolument qu'il gagne Gaétan à sa cause. C'était vital!

La nuit était depuis longtemps tombée. Les reflets des lumières du *Banjo* dansaient sur l'eau noire du canal comme autant d'étoiles filantes, mais sans pourtant pénétrer l'épaisse végétation de l'île.

— Un seule lettre, insistait Tommy, et la merveilleuse aventure commencerait...

Pourquoi Gaétan se laissa-t-il tenter de quitter son précieux bateau à ce moment précis, pour mettre pied sur le sol fangeux de l'île aux Fantômes? Sûrement pas pour le plaisir de traverser la mare de joncs qui l'attendait au bout du quai! Et même les flammes du feu de camp étaient invisibles de la rive! N'eût été de son amour pour les timbres, Gaétan ronflerait déjà sur sa couchette... Mais Tommy avait piqué sa curiosité : il pataugeait en maugréant.

— Ce n'est plus très loin, encouragea Tommy.

Le coassement des ouaouarons couvrit sa voix. Tommy marchait vite, mais près de la tente, au bout du sentier d'herbe foulée, un drame se déroulait à son insu.

* * *

Déçu, blessé, Cass avait rebroussé chemin sur l'ordre de Tommy. «Monter la garde de Charles?» Naturellement, mais encore fallait-il qu'il y ait un Charles à garder. Pour l'heure, il n'était qu'un dessin sur un bout de papier sous une rondelle de verre. Comment aurait-il pu s'enfuir?

Cass admirait Tommy et le suivait partout depuis sa tendre enfance. C'est qu'il avait des idées, Tommy, et la vie n'était jamais banale avec lui, mais pas de tout repos non plus! Sous les ordres de son chef, Cass courait quand il devait courir, attendait quand il devait attendre, disparaissait quand on le lui disait et, même quand on tolérait sa présence, c'était à la condition express qu'il garde le silence. Qu'il soit là en cas de besoin, passe toujours, mais qu'il s'avise de formuler une opinion? Ça non, alors! Tommy ne permettait pas. Cass marchait dans l'ombre de la «vedette», et jusqu'à ce jour il ne s'en était pas trop formalisé...

Mais il avait grandi, vieilli, et lentement d'insidieuses questions prenaient forme dans sa tête. Pourquoi donc était-il sans cesse relégué aux tâches ingrates? Pourquoi devait-il toujours s'éclipser dès que quelque chose d'intéressant se produisait? Tommy cueillait les roses et lui se contentait des épines! Cass soupira en allongeant le pas. C'était de bien lourdes questions pour cette heure tardive. Il haussa les épaules comme pour se débarrasser d'un poids.

De loin, il aperçut la flamme bleue du feu de camp qui vacillait devant la tente et il crut rêver lorsqu'il repéra une ombre qui se profilait dans la lueur du feu. Il pressa le pas. Un animal s'était introduit dans la tente? Leur seul abri pour la nuit! Cass imaginait le ravage qu'il risquait d'y découvrir. Mais l'ombre s'agenouillait à l'entrée. Le fantôme tendait les mains vers la rondelle de verre suspendue à l'entrée de la tente avec son précieux contenu...

Cass resta un moment paralysé par la peur, mais il recouvra vite ses esprits à la pensée de la colère et des reproches de Tommy si Charles disparaissait. Il se précipita vers la tente, mais l'ombre noire à la face blanche s'était élancée dans les hautes herbes de l'île. La chasse au fantôme qui suivit fut spectaculaire! Le fantôme fuyait, trébuchait, repartait, avec

Cass à ses trousses. Même les ouaouarons avaient cessé de coasser, dérangés dans leur concert par le bruit incongru de cette course folle. De nouveau, le fantôme trébucha, et Cass dut presque freiner son élan pour ne pas le dépasser. Il plongea sur la forme allongée au sol.

— Je te tiens! cria Cass à bout de souffle.

Mais il faillit lâcher prise lorsque l'étrange tête se releva. Un masque de Mardi Gras, blanc comme la craie! Dès que Cass le vit, la fureur remplaça la terreur! Qui donc se permettait de venir lui jouer ce sale tour? Il empoigna le fantôme d'une main au collet, et de l'autre il arracha le masque. Étonnant que Tommy n'entende pas le cri de Cass!

— Nancy!

Cass n'eut pas besoin de demander à celle-ci la raison de ce cirque, Nancy la tenait bien serrée dans sa main : c'était Charles!

— C'est toi?

Nancy rit doucement.

— Tu n'attendais tout de même pas le Père Noël?

— Lâche ça, rugit Cass en s'emparant de la rondelle de verre.

Nancy se fit suppliante.

— S'il te plaît, Cass, laisse-moi le

rapporter! Vous ne pouvez pas faire sortir Charles ici, dans cet endroit infect!

— Absolument! Nous avons trouvé quelqu'un qui va nous livrer l'enveloppe, ici même, avec le timbre de Charles dessus.

Nancy fut atterrée.

— Tu n'y penses pas? Si Charles arrivait malade? Il n'y a pas de docteur ici, et vous n'avez même pas de lit pour le coucher. Tu serais prêt à risquer sa vie pour une stupide histoire d'île à la Tommy? T'en as pas marre de faire tous ses caprices?

Un instant, Cass se posa la question, mais un bruit de branches mortes aux environs de la tente le ramena à la réalité. La voix de Tommy disait :

— Nous y sommes presque, Gaétan...

L'homme bougonna.

Nancy aussi avait entendu. Elle saisit Cass par le bras et le força à se baisser.

— Vite, donne-moi le timbre, ça urge!

Presque à regret, Cass refusa.

— Je ne peux pas, Nancy.

Au bord des larmes, elle insista.

— S'il arrive malheur à Charles, tu seras le seul responsable! Tu perds une occasion en or de le sauver!

«Encore les épines, pensa Cass, c'est toujours moi le coupable...»

Le cri strident de Tommy le détourna de ses réflexions. Il poussa Nancy dans les joncs.

— File, disparais!

À quatre pattes dans la tente, Tommy cherchait frénétiquement la rondelle de verre en faisant voler leurs effets de tous les côtés sous le regard perplexe du maître de poste.

— Mais où est mon timbre? Mon timbre a disparu! Cass! Où es-tu?

Cass s'approcha lentement, savourant presque à son insu l'affolement spectaculaire de Tommy, lui, qui était d'apparence si détachée d'habitude.

— C'est ça que tu cherches? demanda-t-il en balançant la plaque de verre au bout de sa ficelle.

Tommy ravala un soupir de soulagement. Il bondit sur ses pieds et s'empara du timbre qu'il planta sous le nez de Gaétan tout en marmonnant entre ses dents.

— Où t'étais passé?

— Faire mon petit besoin, tout en gardant Charles comme tu l'avais dit, répondit Cass avec un sourire en coin.

Tommy ne daigna pas répondre.

— Vous voyez? dit-il à Gaétan. C'est Charles! Il est prisonnier du timbre depuis soixante ans...

Gaétan n'eut pas l'air de savoir s'il devait rire ou se fâcher. Il choisit de railler.

— Pas soixante et un? T'es sûr?

— Nous savons comment le délivrer! Tout ce que vous avez à faire est de livrer ici une enveloppe, avec le timbre dessus, et Charles sortira du timbre. Il aura soixante et douze ans, mais il aura l'air d'en avoir douze... Vous voyez d'ici la publicité?

L'homme avait l'air médusé par le flot de paroles de Tommy. Cass crut bon d'approuver bruyamment son ami, ce qui sembla ramener Gaétan sur terre.

— Tu m'as traîné jusqu'ici pour me débiter des âneries pareilles? s'exclama-t-il en tournant les talons.

— Attendez! cria Tommy. Une seule petite lettre qu'on vous demande de livrer... C'est votre métier de livrer le courrier dans les îles, non?

Malencontreuse remarque qui mit le bonhomme en colère. Il repoussa du doigt son large chapeau de cuir et redressa les épaules.

— Je livre là où il y a une adresse, nigaud, pas au milieu d'un marais...

— C'est pas un marais, c'est une île, protesta faiblement Cass comme pour s'en convaincre lui-même.

— Île ou marais, c'est pareil! déclara

l'homme en allongeant le pas.

Tommy le suivit au pas de course.

— Donnez-nous une chance, on vient d'arriver. On va construire une maison...

Gaétan haussa les épaules. Il traversa en deux enjambées le quai branlant et sauta sur le pont du *Banjo*.

— Attendez! supplia Tommy en équilibre sur la dernière planche du quai. Amenez-nous au moins avec vous!

— Je ne vais pas là où vous allez, railla Gaétan en tirant le cordage.

Le bateau s'éloigna.

— On ira où vous allez. N'importe où, bredouilla Tommy.

Un rire tonitruant lui répondit.

— Dommage, je ne vais pas par là non plus, mon gars... Et pour ta gouverne, je n'aime pas les garçons arrogants!

Inquiet, Cass avait suivi Tommy sur le quai. Sans s'en apercevoir, il venait de s'appuyer au poteau qui portait le crâne chevelu que leur guide indien avait salué d'une si bizarre incantation. Une goutte de sueur froide lui coula dans le cou.

— On ne va pas finir nos jours ici, Tommy? demanda-t-il d'une voix éteinte.

Tommy ne l'écoutait pas. Le refus du maître de poste flottant de collaborer à son projet le plongeait dans la plus profonde consternation. Il n'avait pas prévu ce coup-là! Comment était-ce possible?

— Terminé, le rêve de toute une vie, soupira-t-il. Disparu! Évanoui!

C'était toujours dangereux d'interrompre le fil des pensées de Tommy. Cass s'en garda bien. Il le suivit vers la tente, trois pas derrière. Le feu n'était plus que braises, et Cass se demanda un instant si c'était un charbon rouge ou les yeux de Tommy qui venaient de lancer cet éclair. Il s'approcha. Accroupi à l'intérieur de la tente, Tommy desserra les bras : un museau tout blanc fit son apparition sous la veste de Tommy, un museau tout blanc et deux petits yeux rouges, ronds comme des billes.

— Tiens! Nous avons un visiteur!

Bienheureuse diversion. Les garçons éclatèrent de rire.

Tommy tenait le petit animal serré entre ses deux mains et lui caressait la tête du bout de son index. Il soupira.

— Tu es d'accord que les enfants ont bien le droit de rêver, hein Freddy? Eux aussi ils peuvent avoir de grands projets, non?

La nuit était déjà fort avancée et les garçons s'assoupirent. Mais un gros soleil doré pointait à peine à l'horizon que déjà ils étaient sur le quai, avec armes et bagages. Bien au chaud sous la veste de Tommy, le furet ronronnait comme un chat.

Cass fut le premier à entendre le clapotis de l'eau avant même que le *Banjo* rouge et jaune ait pris le virage du canal.

— Regarde Freddy, cria-t-il en bondissant sur ses pieds. C'est ton maître qui revient te chercher!

La moue railleuse de Tommy en disait long et Cass ne put que s'incliner devant son astucieux ami.

— Eh! les gars, criait déjà le maître de poste, vous n'auriez pas vu mon furet par hasard?

Du bout du quai, Tommy lui tendit
l'animal comme une offrande, sans dire
un mot. Gaétan aborda et lança le cordage. Un peu penaud, il demanda :

— Euh! je vous ramène?

Cass lançait déjà les bagages sur le
pont, mais Tommy haussa les épaules
sans regarder Gaétan.

— Oh! on avait un bon feu, une tente
sèche et un bien mignon furet!

Gaétan lui jeta un regard en coin...

Vingt-quatre heures s'étaient à peine
écoulées depuis que le grand rêve du
royaume de Tommy avait tourné au
vinaigre. Mais ce n'était pas un échec qui
allait l'arrêter. Gaétan avait laissé une

occasion en or lui échapper? Qu'à cela ne tienne, Tommy allait se débrouiller sans lui. Et si sa géniale idée «d'île-royaume» n'avait pas marché, tant pis aussi. Il avait d'autres tours dans sa manche. Chez lui, dans la véranda grillagée de sa propre maison, c'est là qu'il allait installer Charles!

Il était justement à poser les couvertures sur un petit lit de camp adossé contre le mur lorsque Cass arriva. Celui-ci eut une moue sceptique.

— T'en fais pas, rassura Tommy, Charles va littéralement adorer ça, ici.

Mais sans l'avouer, l'angoisse le tenaillait. Il savait par expérience que les voyages sur un timbre n'étaient jamais de tout repos. Tout, mais absolument tout, pouvait arriver. D'un détournement de destination, à une plongée au beau milieu d'un marais! Du coin de l'œil, il guettait la rue tout en s'activant à mettre un peu d'ordre dans la place.

Ouf! Un discret soupir de soulagement s'échappa de ses lèvres lorsqu'il aperçut Jacques le facteur qui venait de tourner le coin. Mais allait-il s'arrêter? Il redoubla d'ardeur pour dégager les objets qui encombraient la vieille table qui occupait un coin de la véranda.

Lorsque Jacques frappa à la porte, Tommy ne remarqua pas tout de suite que quelqu'un le suivait à quelques pas de distance. D'un signe de la main, il fit signe à Jacques d'entrer. À ce moment précis, Tommy ne voyait rien ni personne, sauf la grande enveloppe blanche que tenait le facteur... Son plan avait marché! Il tendit la main, mais un visage rond sous un large chapeau de cuir jaune apparut derrière Jacques.

Jacques haussa les épaules comme pour s'excuser. Il chuchota :

— Je viens de le rencontrer dans la rue, il cherchait ton adresse. Il dit qu'il est un ami à toi.

«L'ami» poussa la porte :

— Salut, les gars!

Cass regardait Tommy, le facteur, l'enveloppe blanche et le chapeau jaune. Décidément, la vie était bien compliquée! Pourquoi diable Gaétan, le maître de poste du *Banjo*, distribuait-il le courrier avec Jacques? Ni Tommy ni Cass ne répondirent au vibrant «salut» du chapeau jaune.

Jacques s'approcha de Tommy et, tout rayonnant, lui annonça en tendant l'enveloppe.

— Devine quoi? J'ai encore un voyageur sur un timbre!

Son sourire éclatant s'assombrit lorsque Tommy déclara :

— Je sais, je me suis moi-même posté l'enveloppe!

Pauvre Jacques, lui qui avait presque couru tout au long de son parcours, heureux d'être le messager indispensable d'un si merveilleux mystère... Il renifla un bon coup et, mal à l'aise, il marmonna :

— Bon ben, j'aimerais bien rester un peu, mais nécessité fait loi, j'ai encore une tonne de courrier...

Conscient ou pas de la déception de Jacques, Tommy lui serra le bras.

— Un gros merci, Jacques, t'es un as!

Le facteur retrouva son sourire bonhomme.

— Salut, Tommy.

Tout au long de l'échange avec Jacques, Tommy n'avait pas quitté le chapeau jaune des yeux. Son cerveau tournait à grande vitesse. Gaétan ici? Si vite? Oh! le bonhomme n'avait sûrement pas quitté son *Banjo* et fait le voyage jusqu'ici simplement pour lui dire «bonjour»! Que voulait-il?

Histoire de reprendre ses esprits et de maîtriser son angoisse, Tommy s'installa lentement derrière la table, lettre en main. Il examinait l'adresse et le timbre, avec Charles sur son *Bluenose*, comme s'il les voyait pour la première fois. Lorsqu'il leva enfin les yeux sur le maître de poste, il était temps! Cass était sur le point de sauter par la fenêtre tellement ce lourd silence l'énervait.

— Et alors, Gaétan, qu'est-ce que vous voulez? demanda Tommy en triturant l'enveloppe blanche devant lui.

Patient, en homme d'expérience, Gaétan était discrètement resté silencieux. À la question de Tommy, il se contenta de répondre :

— Tiens, regarde ça!

Il lui tendit une feuille pliée que Tommy prit en lui lançant un regard méfiant. Mais dès l'instant où il posa les yeux sur le contenu, il perdit son beau calme.

— Regarde! cria-t-il à Cass qui s'était penché sur son épaule, il a fait des timbres avec le *Banjo* dessus!

Et encore, même pas avec l'aide d'une machine à coudre! Comment donc ce diable d'homme avait-il réussi en moins de vingt-quatre heures à produire une page de timbres représentant son bateau rouge et jaune? Bien malgré lui, Tommy était impressionné et, pour tout dire, complètement soufflé!

Quant à Cass, il était estomaqué et sans voix — mais là, rien de neuf, bien sûr!

— Tout ce qu'il me reste à ajouter, continua Gaétan, ravi de son petit effet, c'est l'effigie de ton ami Charles, ici, bien en vue, dans le coin supérieur droit.

Tommy faillit s'étouffer, et Cass s'étouffa pour de bon.

— Et si tu ne veux pas le faire toi-même, c'est simple, tu me le vends.

Tommy bondit sur sa chaise.

— Vous êtes fou? Jamais on ne vendrait Charles! Justement, on allait le libérer, dit-il en serrant l'enveloppe blanche entre ses doigts.

Cass avait bondi, outragé.

— Tommy a raison! Ça fait soixante ans qu'il est prisonnier sur ce timbre, il est grand temps qu'il en sorte...

Gaétan éclata de rire.

— Et si je te donnais trois cents dollars?

Cass ne vit pas l'ombre subite sur le visage de Tommy, d'abord parce qu'il était derrière lui, mais aussi parce que le beau-père de son ami venait d'apparaître à la fenêtre de la véranda. Celui-ci frappa la vitre de son index et le pointa vers Cass. La conversation s'interrompit sur le champ. «On t'appelle au téléphone», gesticula-t-il, en portant son pouce et son auriculaire de son oreille à sa bouche.

Cass ouvrit la bouche, Tommy haussa les sourcils. «Moi»? fit Cass, incrédule. «Oui, oui», confirma l'homme à travers la vitre.

Cass hésitait. D'abord parce qu'il ne pouvait pas concevoir qu'on l'appelle, lui, chez Tommy, mais surtout à cause de ce qui était en train de se tramer : une négociation pour vendre Charles! Non pas qu'il aille jusqu'à douter de Tommy, non, mais quand même son cœur battait la chamade. Il hésitait, mais derrière la vitre le beau-père de Tommy insistait.

— Vas-y, dit Tommy.

Cass céda.

— Bon, mais surtout ne décide rien avant que je revienne, hein Tommy? implora-t-il, les yeux brouillés d'angoisse.

— T'es fou? protesta Tommy avec vigueur, Charles n'est pas à vendre...

Mais un petit doute étreignait le cœur de Cass.

— Jure-le! dit-il, sans voir le regard ironique de Gaétan.

Tommy tendit sa main, et les deux garçons croisèrent leurs petits doigts en un geste de solidarité. Cass sortit de la véranda en courant. Il prit le téléphone, le souffle court.

— Allô?

— Cass, c'est toi?

— Nancy! cria Cass, abasourdi. Pourquoi tu m'appelles? Pourquoi ici?

Un rire mi-angoissé, mi-ironique, lui répondit :

— T'aurais voulu que j'appelle Tommy, peut-être? Cass, qu'est-ce qui arrive à Charles?

Silence! Cass se sentait perdu. Comment expliquer à Nancy le drame qui se jouait sur la véranda? Charles était là, et d'un coup de pouce Tommy allait le libérer... mais un certain personnage venait d'apparaître qui en offrait trois cents dollars!

— Euh! ben justement... on vient de recevoir la lettre, on allait le faire sortir du timbre.

Le cri de Nancy le fit se boucher l'oreille gauche.

— Non, Cass, c'est pas vrai? Il faut que je te voie tout de suite!

Mais à ce moment précis, Nancy était bien loin dans les préoccupations de Cass. Elle lui faisait même perdre un temps précieux. Tommy avait juré, bien sûr, mais...

— Écoute Nancy, je n'ai pas le temps de te parler, bredouilla Cass. J'ai une urgence...

— Ne raccroche pas, Cass! Écoute-moi.

Il posa le récepteur et se précipita vers la véranda juste à temps pour entendre Gaétan qui disait :

— Ouais, évidemment que tu es

intéressé, tu me fais juste un peu marcher, hein? On peut discuter le prix, pas de problème...

Cass allait foncer sur la porte, mais un remords l'arrêta. Allait-il douter de Tommy? Après tout, pourquoi s'énerver? Il avait juré! Cass s'écrasa derrière la fenêtre, aux aguets.

De longues secondes s'écoulèrent. Cass risqua un œil derrière la vitre, totalement inconscient que son chapeau à carreaux risquait fort de trahir sa présence. Il vit Gaétan qui tendait à Tommy une liasse additionnelle de billets de banque. Mais ce qu'il vit surtout, ce fut le visage de Tommy! Un Tommy qui craquait sous l'attrait des beaux billets tout neufs que Gaétan lui mettait sous le nez.

— Trois cent cinquante? Quatre cents? Cinq cents?

Cass était atterré. Pour cinq cents billets, son ami allait-il condamner Charles à rester éternellement prisonnier de son timbre? Ou pire encore, à finir ses jours sur le *Banjo*?

Il avait depuis toujours voué une admiration sans bornes à Tommy. Il s'était fait son chevalier servant. N'était-ce pas lui qui apportait la fantaisie dans la vie de Cass? Non, rien n'était jamais banal avec lui, se disait Cass, mais... Quelque

chose lui trottait par la tête et le tiraillait.
Était-ce le sourire cynique soudainement
apparu aux lèvres de Tommy?

— Tu es un excellent joueur, disait
Gaétan, tu m'impressionnes.

Il tendit sa main pleine de billets vers
Tommy — et vers l'enveloppe blanche
qui tremblait au bout des doigt de celui-
ci! Un instant, le visage du garçon s'assombrit, un doute voila son regard. Il
murmura :

— Mais qu'est-ce que je vais dire à
Cass?

— Que l'avenir de Charles... est as-
suré, suggéra Gaétan en mettant la
main sur l'enveloppe.

À cette seconde précise, la porte s'ouvrit avec fracas. Ni l'homme ni Tommy
n'eurent le temps de réagir, Cass avait
bondi sur l'enveloppe en hurlant :

— Ça, non!

Pétrifié sur sa chaise, Gaétan vit sa
fortune s'engouffrer dans la tornade. Vif
comme l'éclair, Cass était ressorti et
filait déjà à toute allure sur sa bicyclette.
Naturellement, Tommy recouvra vite ses
esprits. Laissant un Gaétan abasourdi
derrière lui, il enfourcha à son tour son
vélo, et la chasse à l'homme commença.

— Cass, attends! Arrête!

Après le geste de bravoure qu'il venait

de poser, il n'aurait plus manqué que ça! Cass pédalait furieusement sur le trottoir au milieu des passants interloqués. À gauche, à droite, à gauche. Il évita de justesse un jeune homme qui marchait vers lui les bras pleins de paquets. Il sauta la chaîne du trottoir.

Derrière lui, Tommy n'eut pas cette présence d'esprit, il fonça sur le pauvre bougre et se retrouva lui-même étalé au milieu des colis éparpillés. Mais l'heure n'était pas à jouer le bon samaritain, Tommy ramassa son vélo et repartit de plus belle.

Cass filait toujours, ou plutôt zigzaguait tant bien que mal. Il avait perçu le bruit de la collision dans son dos et tourna brièvement la tête. Mal lui en prit! Jamais un tronc d'arbre n'était venu si vite à sa rencontre! Pas le temps de freiner, c'était l'arbre ou le trou. Ce fut le trou! Les doigts serrés sur le guidon, Cass tenta valeureusement de garder l'équilibre en plaçant tout son poids sur les pédales. Il y parvint à peu près, mais son siège s'envola dans les airs laissant à nu une belle tige de métal très malencontreusement placée sous son postérieur.

— Aïe, aïe, aïe! hurla Cass sans pourtant ralentir sa course.

Pas loin derrière, Tommy pédalait aussi furieusement en criant :

— Cass, arrête! C'était juste une farce! On va le faire notre royaume, je te promets! Cass, où tu vas?

Pour une fois, Cass savait très bien où il allait, et jamais de sa vie il n'avait eu aussi hâte de déposer son vélo. Il s'engagea dans l'allée qui menait chez Nancy. C'est Ralph qui le vit se ruer, pantelant sur la porte de la cuisine.

— Vite, ouvre! J'ai Charles avec moi!

Ralph comprit aussitôt le danger lorsqu'il vit Tommy au bout de l'allée. Cass tomba plus qu'il n'entra dans la maison.

— Fermez toutes les portes!

Nancy, et Albert qui par hasard se trouvait là, avaient entendu le vacarme et s'étaient précipités à la rescousse. Il était temps, Tommy avait déjà la main sur la poignée de porte lorsque Nancy mit le loquet.

— Ouvrez! cria Tommy en frappant violemment la porte de ses poings fermés.

Tout le monde s'était éparpillé dans la maison comme une volée d'hirondelles, chacun cherchant une issue à mettre sous clé. Le désespoir dans l'âme, Tommy courait d'une porte à l'autre, puis de fenêtre en fenêtre, mais toutes se fermaient sous son nez.

— C'était juste une farce, je le jure!

Le visage triomphant de Nancy lui apparut soudain, collé à la vitre d'une fenêtre. Tommy s'arrêta tout sec. Un souvenir, fort récent d'ailleurs, lui revint aussitôt en mémoire. «Splash», faisait le corps de Nancy en amerrissant au milieu des grenouilles!

Elle lui tira la langue avec délice. Du coup, Tommy perdit la sienne. Il comprit que ce n'était pas la peine d'insister, Nancy resterait sourde à ses supplications. À l'intérieur, déjà elle grimpait l'escalier sur les talons des autres. Vite, on allait se réfugier dans sa chambre en toute sécurité.

— Cass, vas-tu enfin nous expliquer...

Il n'avait retrouvé ni son souffle, ni la parole. Il se laissa tomber sur le lit en haletant.

— Il... il a essayé de le vendre pour cinq cents dollars...

L'horreur se peignit sur tous les visages. Même Albert n'arrivait pas à articuler un seul mot. On regardait Cass, consterné, incrédule.

— Tommy! cria soudain Nancy.

— Oui, commença Cass, il a ...

Mais du doigt, Nancy pointait la fenêtre :

— Oh non! s'énerva Albert, voyez, il a grimpé à l'échelle. Vite, les fenêtres!

Après les portes, la course aux fenêtres. Tout le monde se rua sur les fenêtres de l'étage pendant que Nancy tirait la tenture sur le visage dépité de Tommy qui appelait désespérément Cass à la rescousse.

— Tu ne peux pas me faire ça, Cass. C'est moi ton ami!

Albert se déchaînait. Il poussait Cass au fond de la chambre, courait à la fenêtre, tirait le rideau, donnait des ordres. Nancy soupira. «Ce qu'il peut être énervant, celui-là!»

— Bon, ça suffit! dit-elle d'un ton ferme. Nous avons des choses plus sérieuses à faire, il me semble. Tu as l'enveloppe, Cass?

Sans hésiter, le garçon lui tendit l'enveloppe où trônait l'image de Charles, impassible sur le pont de son voilier. Nancy s'approcha du lit. Aussitôt les autres l'entourèrent, silencieux, solennels. Un grand événement allait se produire, un profond mystère s'éclaircir! Nancy leva l'enveloppe, ses doigts hésitaient, allaient ouvrir...

— Non, arrête! cria Albert. On doit changer l'adresse.

Encore lui! À regret, Nancy concéda :

— Oui, c'est vrai, tu as raison.

Du bout de sa plume, Albert raya furieusement l'adresse de Tommy et inscrivit celle de Nancy en belles lettres carrées. Satisfait, il lui remit l'enveloppe.

De nouveau, Nancy prit position et cette fois, son geste sec et rapide surprit tout le monde. C'est à peine si on entendit le bruit du papier qui se déchirait. Un jet de lumière bleutée envahit la chambre. Pas un son, pas une mouche ne volait. Tout le monde retenait son souffle, les cœurs battaient la chamade. La magie allait-elle fonctionner? Charles était peut-être depuis trop longtemps prisonnier du timbre. Puis, ce fut une lumière douce, diffuse, qui se répandit dans la chambre, pas le tourbillon endiablé des fois précédentes. Les yeux étaient rivés sur l'image du timbre lorsque tout à coup... une petite forme humaine sembla tomber sur le pont du *Bluenose*. Charles s'évanouissait!

Personne n'aurait su dire à quel moment précis la forme inerte de Charles se retrouva sur le lit de Nancy. Mais soudain, il fut là, sous leurs yeux agrandis par l'émerveillement. Ils avaient ramené Charles! Ralph avança la main vers le garçon pour soulever la casquette qui lui couvrait le visage.

— Attention, chuchota Nancy, on dirait qu'il est évanoui... Ou peut-être qu'il est mort?

L'émerveillement fit place à l'horreur!

— Tu crois? demanda Cass, encore secoué par les émotions qu'il venait de vivre.

Dans son habit de tweed des années trente, Charles restait aussi immobile qu'une statue. Mais soudain, Ralph pointa la main blanche aux doigts effilés qui reposait sur le lit.

— Regardez! Il bouge!

Les doigts avaient remué, en effet. Comme sur un signal, Ralph s'approcha et souleva la casquette. Un fin visage aux traits délicats, entouré de soyeux cheveux blonds, apparut sur l'oreiller.

— Charles?... Charles est une fille! s'écria Ralph au comble de l'excitation.

— Ciel, mais c'est vrai, c'est une fille! murmura Nancy.

— Et grande avec ça! s'exclama Ralph.

Sous le regard attentif du petit groupe, les paupières frémirent un instant. Puis, deux grands yeux bleus les regardèrent tour à tour, sidérés, inquiets, effrayés.

— Je m'appelle Albert, entonna aussitôt Albert l'expert. Je suis le président du club de philatélie. Et lui, c'est Ralph, ex-voyageur du timbre. Elle, c'est sa sœur, Nancy. Et celui-là, c'est Cass...

Nancy s'interposa, irritée et excédée par ce bavard d'Albert.

— Arrête, tu l'étourdis! Laisse-lui le temps de reprendre ses sens.

Comme pour lui donner raison, la jeune voyageuse referma les yeux, en passant la langue sur ses lèvres.

— Elle doit mourir de soif, murmura Nancy, je vais lui préparer quelque chose à boire.

Elle quitta la chambre sur la pointe des pieds. L'espace d'un moment, un semblant de calme se rétablit dans la pièce, les garçons n'osant plus troubler le repos du mystérieux personnage.

Nancy avait mis l'eau à chauffer. «Une

bonne infusion de camomille avec dix gouttes de miel, pensa-t-elle, voilà qui allait sûrement l'aider à récupérer!» Elle versa l'eau dans la tasse, goûta pour s'assurer du résultat, mais à peine arrivée dans le hall elle entendit un coup sec frappé à la fenêtre.

— Nancy! supplia une voix qu'elle connaissait fort bien. Je t'en prie, laisse-moi entrer...

Son premier réflexe fut d'ignorer la présence de Tommy, puis elle se ravisa. «Pourquoi pas le laisser entrer, pensa-t-elle, puisqu'il ne pouvait plus nuire... Ça sera amusant de voir la tête qu'il fera!»

Elle s'approcha de la fenêtre et tourna discrètement la poignée, mais sans tirer le rideau. Par la fente, elle aperçut la mine déconfite du garçon. Elle sourit malgré elle en s'engageant dans l'escalier.

Lorsqu'elle entra dans la chambre, les garçons entouraient la voyageuse qu'ils avaient confortablement installée sous une couverture.

— Comment t'appelles-tu? chuchotait Ralph. Quel est ton nom?

Nancy mit une cuillerée de liquide chaud sur les lèvres de la jeune fille qui avala, impassible. Puis une autre et encore une.

— On veut savoir ton nom, insista Ralph. Tu t'en souviens?

— Elle a forcément un lien avec Charles, annonça Albert, en prenant la mallette qui était sortie du timbre en même temps que la fille. Jusqu'ici, personne n'y avait prêté attention.

— Vous voyez? Le nom de Charles est gravé dessus.

Il prononça lentement le nom de Charles en épelant chaque lettre. CHARLES MERRIWEATHER. Un gémissement jaillit des lèvres de la jeune fille et un frisson la parcourut tout entière.

— Vous avez vu? s'exclama Nancy. Elle a réagi. Tu connais Charles, petite fille?

— Il est notre ami, expliqua Albert et nous avons de bonnes raisons de croire qu'il est prisonnier d'un timbre depuis belle lurette.

— C'est lui qu'on attendait, précisa Nancy. Ce n'est pas toi... Comment se fait-il que tu sois ici?

Plus que les cuillerées de liquide chaud, le nom de Charles avait manifestement provoqué une réaction. La voyageuse regardait maintenant autour d'elle avec attention, ses lèvres bougèrent comme si elle essayait d'articuler quelque chose.

Soudain, la porte de la chambre s'entrebailla. Une tête apparut dans l'embrasure. Un sourire goguenard :

— Salut Charles! Bienvenue à ...

Tommy changea de couleur. Adossé au mur, ses jambes pliaient sous lui.

— C'est... une... fille?

Albert avait bondi comme un ressort cassé.

— Comment il a fait pour entrer ici, lui? Pas question qu'il reste, sinon c'est moi qui pars!

Nancy s'avança vers Tommy, tasse à la main.

— Bon, tu l'as vue maintenant... Alors ça suffit, va-t-en!

Les yeux rivés sur le visage pâle de la jeune voyageuse, Tommy ne bougeait pas. Il était fasciné, médusé, interloqué. «Comme elle est jolie!» On attendait Charles et voilà qu'apparaissait une belle jeune fille. Eh bien, pourquoi pas? Son visage s'éclaira d'un radieux sourire, il fit un pas dans la direction de la visiteuse inattendue.

— Bienvenue, répéta Tommy sans la quitter des yeux.

Albert vit-il le léger sourire qui s'esquissa sur les lèvres de la jeune fille? Il tonna :

— On t'a dit de partir! Personne ne veut de toi ici!

L'explosion ramena Tommy sur terre.

Son sourire s'évanouit. Il se tourna vers Cass :

— Tu es d'accord avec eux?

Indigné, Cass leva les bras au ciel.

— D'accord? Mais tu étais en train de la vendre, tu te rappelles? DE LA VENDRE!

Vilain souvenir, en effet, qu'il s'était empressé d'oublier. Son regard revint vers la fille qui n'avait toujours pas bougé. Sûrement, elle n'avait rien compris à ce brusque échange de paroles. Albert poussa Tommy vers la porte et celui-ci dut se résigner, mais pas avant d'avoir échangé un clin d'œil de complicité avec la jeune fille.

— À bientôt, lança-t-il avant qu'Albert ne referme la porte sur lui.

Albert l'expert était hors de lui. Décidément, ce damné Tommy avait été mis au monde pour l'embêter, lui, personnellement. Il se précipita au chevet de la visiteuse.

— Lui, c'est une très, très, très vilaine personne! Il ne faut jamais, jamais l'écouter, tu me comprends?

Si elle allait répondre quelque chose, elle n'en eut pas le temps car la porte se rouvrit toute grande sous la poussée de Tommy qui éclata de rire, fit un nouveau clin d'œil à la jeune fille et s'exclama :

— Et toi, ne va surtout pas croire tout ce qu'il te dit, ni lui ni les autres d'ailleurs!

En gémissant, Albert se prit la tête entre les mains, mais il n'eut pas besoin de répondre, Tommy avait disparu.

Était-ce la soudaine irruption de Tommy qui avait fini par la réveiller? Toujours est-il que le visage de la jeune fille s'anima :

— Molly, murmura-t-elle. Je m'appelle Molly...

— Molly qui? demanda Nancy.

— Merriweather...

— Elle a le même nom que Charles! crièrent en chœur Albert et Nancy.

— Ben alors, tu es sa sœur, déclara Cass, logique.

Elle fit signe que oui. Lentement, elle sortait de sa torpeur, mais sa voix était encore très ténue lorsqu'elle dit :

— Mon frère est malade, je dois absolument rentrer pour le voir...

Rentrer? Les autres se regardèrent, consternés. Forcément que Molly voulait rentrer chez elle, mais c'était une chose que de la tirer du timbre et tout une autre que de l'aider à rentrer chez elle. Et d'ailleurs, où ça, chez elle?

— Pour ce soir, tu dois dormir Molly, suggéra doucement Nancy. Après ce très, très long voyage, tu es sûrement fatiguée. Demain, nous verrons...

La jeune fille acquiesça et tous se retirèrent avec une pointe de soulagement. La journée avait en effet été fort mouvementée!

* * *

Lorsque le téléphone sonna chez Cass le lendemain matin, il ne s'interrogea pas longtemps. Il savait déjà qui était à l'appareil.

— Oui, Tommy, raconta Cass, elle dit que Charles était trop malade pour voyager, alors c'est elle qui est partie à sa place. Naturellement, elle veut rentrer chez elle. Tu te rends compte? Elle se croit encore en 1930...

Tommy l'interrompit.

— Comment, vous ne lui avez pas dit?

— Facile à dire! On n'a pas osé...

— Il faut absolument que je la voie, s'exclama Tommy.

— Pas question! C'est absolument impossible, Tommy. Personne ne te fait confiance. Désolé!

Le ton ferme et résolu de Cass prenait Tommy par surprise! Cass raccrocha aussitôt, car il ne voulait surtout pas entendre les arguments de Tommy de peur de céder encore une fois à ses belles promesses. Il se sentait triste. Triste, mais fier aussi, d'avoir eu le courage de s'opposer à Tommy pour la première fois de sa vie.

Jamais, jusqu'à ce moment-là, il ne s'était rendu compte à quel point son ami le faisait tourner autour de son petit doigt. Il se mit à compter les fois où il avait répondu : «Oui, Tommy!... Évidemment, Tommy!... Tout de suite, Tommy!» Il s'arrêta, ses connaissances mathématiques étaient trop limitées, il n'arrivait plus à additionner ces souvenir...trop réels à son goût! Comment donc s'y prenait-il? se demanda Cass. Avec ses beaux sourires et ses grandes paroles, il séduisait tout le monde, mais il ne donnait jamais rien à personne. Tout était toujours en fonction de Tommy. Un point, c'est tout!

Les autres avaient raison, il ne fallait pas laisser Tommy s'approcher de Molly. Qui sait ce qu'il allait encore concocter? Déjà, il avait commencé son opération de séduction. Le beau sourire triste de celui qu'on jette à la porte alors qu'il ne demandait qu'une chose : voir Molly! La jeune fille lui avait même souri! Cass frissonna, inquiet...

* * *

Chez Ralph et Nancy, une autre opération était en cours. On avait entrepris
l'éducation de Molly.

Après une longue nuit peuplée de
cauchemars, la jeune fille venait de se
réveiller pour la deuxième fois dans un
monde qui lui semblait fort étrange,
mais elle n'avait encore rien vu. Heureusement que la coquette chambre de
Nancy était plutôt feutrée et rassurante...

Nancy avait guetté son réveil avec une
pointe d'inquiétude. Maintenant que la
voyageuse était là, qu'allait-il se passer?
Comment lui expliquer, la rassurer? Pour
l'heure, elle commença par lui faire
enfiler un de ses blue jeans, histoire de la
mettre un peu dans son nouveau con-
texte. En habit de tweed et casquette, au
beau milieu de l'été, Molly aurait fait un
drôle d'effet dans le quartier!

— Tu dois mourir de faim, descen-
dons à la cuisine.

Justement... la cuisine! Le royaume des
électros. Lorsqu'elle entra, Ralph venait
de déposer une belle moitié d'orange
dans le presse-jus. Vroom! Le son aigu du
moteur surprit Molly. Nancy s'exclama :

— C'est vrai, Molly! Peut-être que tu
n'avais pas tout ça chez toi?

En un tour de main, Ralph et Nancy
se transformèrent en vendeurs de

quincaillerie.

— Regarde, c'est le Cuisinart, ça coupe, ça tranche, ça déchiquette, ça fait des soupes sublimes. Et ça, c'est pour faire les omelettes, ça bat les œufs en trente secondes, dit Ralph en démarrant la mixette sous le nez de Molly qui recula d'un pas.

— Ici c'est la friteuse, pour les pommes frites naturellement.

— Et voilà le gaufrier, déclara Ralph avec un geste solennel. Mon instrument préféré. Rien de meilleur qu'une bonne gaufre pleine de petits trous remplis de confiture à la framboise. Une framboise par trou!

Molly ne put s'empêcher de sourire.

— Et ça, expliquait Nancy, c'est le micro-ondes.

Elle ouvrit et referma la porte du four à quelques reprises pour capter l'attention de Molly qui regardait ailleurs... Nulle part. Décidément, cette démonstration frénétique l'étourdissait. Nancy insista.

— Fais un effort, Molly, sois attentive. Tu dois absolument connaître ces appareils sans quoi les gens vont deviner que...

Que quoi, au fait? Qu'elle venait d'ailleurs? Que sur un tout petit timbre, elle avait traversé le temps sans qu'il n'ait laissé sur elle la moindre ridule? Que derrière ses jeunes traits se cachait une vieille dame de soixante-douze ans?

Nancy hésita. Sûrement Molly connaissait la magie des timbres, mais comment lui dire qu'elle y avait passé presque toute une vie?

— ... les gens vont croire que tu viens de la planète Mars!

Molly eut un geste d'agacement.

— Et alors? Ce que pensent les gens m'est bien égal. Je veux seulement rentrer chez moi.

Du regard, Nancy chercha l'aide de Ralph.

— Écoute, Molly, c'est un peu compliqué...

— Eh, dis donc! Viens je vais te montrer un truc super, dit Ralph en la prenant par la main. C'est génial, tu verras.

Il tirait Molly vers le boudoir lorsqu'on frappa à la porte avant.

— J'y vais, dit Nancy, soulagée de pouvoir éviter les questions embarrassantes...

Fier de ses vastes connaissances, Ralph avait mis l'ordinateur en marche :

— Regarde ça, dit Ralph, c'est une invention fantastique!

— Hum!... murmura la jeune fille en regardant distraitement les doigts de Ralph qui pianotaient sur le clavier.

— Elle a une fabuleuse mémoire, cette machine. Elle sait tout ce que nous mangeons, tous les jours.

— Hum!... répéta Molly, sans manifester le moindre intérêt.

— C'est quand ton anniversaire? demanda Ralph.

— Le 14 octobre...

— Tu veux savoir ce que nous avons mangé le jour de ton dernier anniversaire? Eh ben, c'était de la soupe aux pois, des hamburgers au fromage et une glace à l'orange.

Molly regardait le petit écran où les

mots et les chiffres semblaient s'afficher tout seul.

— C'est quoi cette chose? demanda-t-elle.

— Ça, c'est un P.C.

Elle fit la grimace. Deux lettres qui ne voulaient strictement rien dire. C'est comme ça qu'on nommait les choses, ici? Elle insista.

— Mais encore, qu'est-ce que c'est?

C'était bien joli de faire à Molly une démonstration savante, mais lui expliquer le mécanisme derrière tout ça? Ralph doutait vaguement de ses capacités.

— Oh! c'est seulement un paquet de puces électroniques.

— Des puces?

Molly haussa les épaules, légèrement dégoûtée. Puis songeuse, elle regarda autour d'elle, tentant vainement d'absorber son nouvel environnement. Tous ces appareils qui faisaient un tel vacarme et qui paraissaient si compliqués. Loin de l'amuser, cet étalage d'objets l'effrayait. Elle regardait Ralph qui inscrivait maintenant sur l'écran le menu de leur petit déjeuner. Timide, hésitante, Molly l'interrompit :

— Est-ce qu'il vous faut vraiment toutes ces choses... pour être heureux?

Heureux? Jamais de sa vie Ralph ne

s'était arrêté à cette question. Un P.C.? Un gaufrier pour être heureux? Il regarda Molly, interloqué. C'était beaucoup plus compliqué qu'un problème de maths.

— Eh ben! je... Je n'en sais absolument rien!

* * *

Totalement concentré sur cet étrange problème du bonheur que venait de lui poser Molly, Ralph n'avait pas vu Nancy qui était subrepticement entrée dans la pièce pour en ressortir aussitôt. Bien sûr, Nancy avait ainsi évité les questions de Molly, mais serait-elle allée répondre à la porte si elle avait connu l'identité du visiteur?

— Tommy! Encore toi, ici? Qu'est-ce que tu veux?

Elle nota, presque à son insu, que le visage de Tommy avait perdu toute trace de sa suffisance habituelle. Pas de sourire railleur, pas de clin d'œil narquois. Au contraire, son regard implorant semblait inquiet, voire angoissé.

— Je veux voir Molly...

— Impossible, trancha Nancy, tu ne peux pas.

— Mais pourquoi? supplia le garçon. Je suis sûr qu'on s'entendrait bien tous les deux. Tu l'as bien vue, Nancy... elle avait l'air contente de me voir...

Elle lui coupa la parole.

— Sûrement pas! Surtout que maintenant elle sait tout sur toi. On lui a même dit que tu avais voulu la vendre...

Une expression douloureuse voila le regard de Tommy. Vaincu, il recula d'un pas et baissa la tête. Il murmura, hésitant :

— Je voudrais au moins savoir comment elle réagit. Comment elle se sent... si vieille dans un corps si jeune?

— Elle est triste, se contenta de répondre Nancy.

Pour la première fois peut-être, elle percevait un Tommy qu'elle ne connaissait pas. Il avait sincèrement l'air d'être préoccupé et inquiet pour Molly. Elle se sentit ébranlée. Tommy reprit confiance.

— Laisse-moi la voir, juste un instant!

S'il n'avait pas parlé à ce moment-là, Nancy aurait peut-être fléchi, mais le ton insistant du garçon la ramena brutalement sur terre. «Encore une de ses farces!» Elle repoussa la porte sur lui en disant :

— Attends une seconde.

Surpris, une lueur d'espoir dans les yeux, Tommy resta cloué sur place. Pas même une minute ne s'était écoulée lorsque Nancy réapparut. Elle tenait à la main la mallette de Charles qui était tombée du timbre en même temps que Molly. Elle la poussa littéralement dans les bras de Tommy, en y ajoutant l'habit de tweed et la casquette, qu'elle avait roulés en paquet.

— Tiens, c'est la mallette de Charles, elle est probablement pleine de timbres. C'est ça que tu voulais, non?

— Non, cria Tommy, désespéré. Attends une minute.

Mais cette fois, ses supplications n'eurent aucun effet, Nancy lui claqua la porte au nez. «Il ne va pas cesser de m'embêter, celui-là? pensa Nancy, exaspérée. Comme si je n'avais rien de plus important à faire!»

Elle revenait lentement vers la salle de séjour lorsqu'elle fut frappée d'une inspiration soudaine. Elle entra dans la pièce en s'exclamant :

— Eh, Molly! J'ai une merveilleuse idée! Nous allons faire une fête en ton honneur. Nos copains viendront, on fera de la musique, on dansera... Qu'est-ce que t'en dis?

Ralph applaudit. Mais la véhémence des protestations de Molly les prit tous les deux par surprise.

— Je ne veux pas de fête! Je veux rentrer chez moi!

Malgré les efforts de Nancy pour la retenir, elle sortit en courant sur le patio. Les larmes ruisselaient sur son visage.

— Mon frère est malade, je dois rentrer.

Nancy sentit un poids lui tomber sur les épaules, elle n'avait plus le choix, il fallait tout dire à Molly. Mais comment?

— Écoute, commença-t-elle, ton frère va sûrement bien. Tu sais... il y a très, très longtemps que tu es partie...

Molly la regarda, ahurie.

— Impossible, cria-t-elle. J'ai fait le voyage à sa place, je dois remplir sa mission. Il m'attend...

Ralph et Nancy l'observèrent, atterrés. Ils l'avaient tirée de son timbre-prison, c'était déjà un premier pas... Bien sûr, ils allaient trouver une solution, mais il fallait d'abord qu'elle comprenne. Nancy continua, le plus doucement possible :

— Beaucoup, beaucoup d'années ont passé depuis ton départ et si Charles est toujours vivant, ce doit être un vieillard maintenant...

Molly recula, aussi horrifiée qu'incrédule.

— C'est parfaitement ridicule! Charles est plus jeune que moi!

— Il ne l'est plus maintenant, murmura Nancy en prenant Molly par le bras. Viens, rentrons. Je vais tout t'expliquer...

Molly éclata en sanglots.

— Je ne suis pas vieille, protesta-t-elle, il ne peut pas l'être non plus.

Nancy soupira.

— C'est le timbre qui t'a figée dans le temps, Molly. Pour les autres, les années ont passé... Et puis, tu sais, ajouta soudain Nancy d'une voix animée, dans un sens, tu te rends compte de la chance que tu as?...

* * *

L'espion tapi sous le patio ne connut jamais la réponse de Molly, parce que Nancy l'avait entraînée dans la maison. Mais Tommy avait tout entendu jusque-là : les explications de Nancy, les protestations de Molly, ses sanglots. Il sentit une vague de désespoir et de colère monter en lui.

— J'allais peut-être vendre un timbre, mais ce n'est pas moi qui ai mis Molly dans ce pétrin-là! Qu'est-ce qu'elle va devenir maintenant? Elle est condamnée à avoir douze ans pour toujours? Et personne ne peut rien faire...

En rampant, Tommy était sorti de sous le patio, tenant machinalement la mallette de Charles serrée sous son bras. En fait, il avait même oublié qu'il l'avait.

Il se réfugia dans sa chambre et, automatiquement, il déposa la valise près de son lit sans y prêter la moindre attention. Une seule pensée l'obsédait : il devait absolument voir Molly, il fallait qu'il lui parle! Il fallait persuader Nancy, mais comment?

* * *

Pendant ce temps, les préoccupations de Nancy étaient à mille lieues de celles de Tommy. Les choses commençaient singulièrement à se compliquer. C'est avec les meilleures intentions que Ralph, Albert et elle avaient ramené Charles, euh!... c'est-à-dire Molly, dans le monde des vivants, mais sans vraiment réfléchir aux conséquences, il faut bien l'avouer. Qu'un enfant de leur âge soit prisonnier d'un timbre depuis de si nombreuses années leur paraissait inadmissible. Puisqu'ils avaient découvert le secret pour le libérer, comment auraient-ils pu faire autrement? Mais maintenant, Molly était là, et Nancy s'interrogeait.

D'abord, il fallait l'empêcher de partir. Où donc pouvait-elle aller dans ce monde qu'elle ne connaissait pas? Encore heureux qu'elle parle la même langue! Elle aurait pu venir de Chine!

La renvoyer à un frère peut-être mort depuis longtemps? Et où d'ailleurs? Personne n'en avait la moindre idée. Il fallait donc occuper Molly, et Nancy s'était réjouie d'avoir songé à organiser une fête. Et puis, sans se l'avouer, elle cherchait un peu à gagner du temps. Qui sait? Une solution miracle allait peut-être se produire... «Et le plus tôt sera le mieux!» pensa soudain Nancy.

Elle venait d'apercevoir le calendrier. Dans moins de dix jours, ses parents allaient rentrer de voyage! Comment leur expliquer Molly?

— Nous devrions peut-être consulter monsieur Bronson, dit-elle soudainement à Ralph qui tomba des nues.

— Monsieur Bronson? Pourquoi?

— Oh! pour rien, laisse tomber.

Non vraiment, c'était trop compliqué. Mieux valait se concentrer sur la fête. Nancy se mit au téléphone.

Appeler les amis fut sans contredit l'aspect le plus simple de l'opération. Il fallait aussi prévoir la musique, les costumes, le buffet. Et elle s'était donné à peine trois jours pour tout mettre au point. La course contre la montre, quoi! Elle courait ici et là, mandatait Ralph à la commande des pizzas, des gâteaux, des boissons. Du matin au soir elle s'activait, si bien qu'elle n'avait plus une minute à elle pour réfléchir à la situation, au grand soulagement de Molly, d'ailleurs, qui en profitait pour s'esquiver dans sa chambre ou dans un petit coin du jardin.

Si Nancy et son frère avaient couru moins vite, ils auraient peut-être perçu des signes, des indices... Ils auraient peut-être vu un pli au coin des lèvres de Molly, une veine bleue qui courait sous la peau de sa main. En tout cas, ils auraient sûrement noté qu'elle couvrait ses cheveux blonds sous un large fichu.

Ce que Nancy voyait par contre, quand elle s'arrêtait deux minutes pour respirer, c'était parfois une larme, que Molly essuyait à la dérobée sur ses joues. Mais surtout, pas de questions! Nancy connaissait très bien la réponse — ou du moins c'est ce qu'elle préférait croire.

Finalement, le jour «J» arriva : une fête costumée! De l'avis de tous les copains, ce fut très réussi.

— Trouvez-vous des tenues des années trente, avait suggéré Nancy.

Des années trente? Personne n'avait la moindre notion de la mode des années trente, mais personne ne manquait d'imagination non plus. Le salon grouillait de personnages hauts en couleurs qui sautaient, tournaient, se trémoussaient au son tonitruant d'un véritable orchestre, banjo y compris.

Molly, que Nancy avait affublée de vieux vêtements de velours dénichés dans les coffres du grenier, Molly donc, avait tenté de s'isoler dans un coin discret de la pièce, affolée par tout ce vacarme. Elle portait un masque japonais, tout blanc, qui épousait si parfaitement les formes de son visage qu'on l'aurait dit fait sur mesure, et aussi un encombrant chapeau qui lui couvrait toute la tête.

Albert venait de la repérer et la tirait par le bras. Expert dans l'âme, il s'était cette fois institué maître-danseur. Il la poussait, la tournait, virevoltait autour d'elle en lançant des «han!», des «ha!», des «ho!» qui étaient censés exprimer l'enthousiasme. Étourdie, la pauvre Molly trébuchait et tentait vainement d'échapper à la main d'Albert.

Ce fut Nancy, tourbillonnant au bras d'un chevalier du Moyen-Âge, qui vint inopinément la délivrer au passage.

— Ça va, Molly? Tu t'amuses? demanda Nancy en mettant la main sur son épaule.

Il n'en fallut pas plus pour perturber le rythme d'Albert, qui continua pendant un moment à tourner seul sur lui-même comme une toupie. Molly en profita pour se faufiler au milieu des danseurs et s'enfuir jusqu'à la véranda. À bout de forces, elle se laissa choir sur une chaise appuyée au mur. Enfin! Un semblant de calme!

Molly était infiniment perplexe. Elle n'arrivait vraiment pas à comprendre pourquoi il y avait tant de bruits bizarres dans cette maison. Quand ce n'était pas le moteur strident d'un appareil quelconque, c'était la musique — qu'ils appelaient «électrique»! Ils branchaient même leurs instruments sur des haut-parleurs... si bien qu'il était totalement impossible d'entendre ce que le voisin disait! Assez pour en devenir sourds!

Plusieurs minutes s'étaient écoulées, et la respiration de Molly avait presque repris son rythme normal. Tête baissée et les épaules affaissées, immobile, elle avait l'air d'un personnage échappé d'une toile ancienne.

— Molly?

Elle sursauta brusquement, même si la voix avait à peine murmuré son nom et c'est presque avec soulagement qu'elle reconnut Tommy. Il venait sans bruit vers elle, une enveloppe à la main. Elle le regardait venir avec soulagement, mais appréhension aussi. On l'avait tellement mise en garde! Surtout, se méfier de

Tommy! Un garçon rusé, ratoureur, sans scrupule! En fait, il n'aurait pas dû être ici, car il n'était sans doute pas invité. Mais elle se disait en elle-même : «Tout!... mais surtout pas retourner à l'enfer d'Albert!» Elle se recroquevilla sur elle-même, se fit encore plus petite.

Tommy approcha une chaise et s'assit en face d'elle.

— Regarde, dit-il à mi-voix, je t'ai apporté des disques...

Malgré elle, Molly eut un geste d'horreur et tourna la tête vers le salon d'où parvenaient des sons endiablés.

— De la musique de ton temps, précisa Tommy en souriant.

Mais ce que Tommy avait voulu une ouverture s'avéra une grossière maladresse. Il ne fallait surtout pas évoquer «son» temps. Les yeux de la jeune fille se remplirent de larmes derrière le masque blafard. Tommy s'en aperçut aussitôt.

— Écoute, Molly, je veux être ton ami. Un vrai ami, tu m'entends?

Elle éclata en sanglots. Mal à l'aise, Tommy se tortillait sur sa chaise, tentait de se faire rassurant.

— Qu'est-ce qu'il y a, Molly? Qu'est-ce qui se passe?

Pour toute réponse, les sanglots redoublèrent. Timidement, Tommy avança une main vers le visage de Molly.

— Allez... laisse-moi t'aider à enlever ce masque ridicule.

Elle le repoussa d'abord, puis céda enfin devant son insistance. D'un geste, elle souleva le masque, faisant du coup voler par terre son large chapeau.

Tommy faillit tomber à la renverse. C'était bien Molly qui était là devant lui, mais ce n'était plus Molly! La peau de son visage s'était plissée, ses cheveux blonds viraient au sel. Sous ses yeux ahuris, Molly vieillissait d'une année par minute, lui sembla-t-il. Lui qui d'ordinaire avait toujours le bon mot, voilà maintenant qu'il restait muet comme une carpe, déconfit, désemparé et, pour tout dire, en pleine panique!

Il n'entendit pas le cri de Nancy qui venait de surgir sur le seuil de la porte. Il ne vit pas non plus l'horreur qui se peignait sur les visages de Ralph et d'Albert lorsqu'ils accoururent à leur tour. Nancy se précipita sur lui.

— Oh! mon Dieu, qu'est-ce que tu lui as fait?

La gifle la plus retentissante ne l'aurait pas blessé davantage. Quoi? On l'accusait de «ÇA»?

— Mais rien! Je n'ai rien fait!

Ses protestations se perdirent sous les vigoureuses poussées des garçons.

— Sors d'ici! criait tout le monde à la fois. Va-t-en! Dehors!

Tommy n'eut d'autre choix que de fuir, la mort dans l'âme.

* * *

Le bruit de la fête s'était tu, comme par magie. Derrière Ralph et Albert qui était restés cloués sur le seuil de la porte, quelques têtes pointaient. Même Nancy, d'habitude si décidée, n'osait s'approcher. Sous les regards incrédules, Molly avait caché son visage derrière ses mains gantées de blanc.

— Désolée, les amis, la fête est terminée, annonça Nancy.

Tout en dissimulant son embarras et sa frayeur, Albert décida de prendre les choses en main et fit sortir tout le monde, presque dans l'ordre.

Nancy s'avança vers Molly. Elle constatait enfin ce qu'elle aurait dû voir depuis des jours déjà. Le beau visage lisse de Molly s'était marqué de petites rides sous les yeux. La peau de son cou s'affaissait, et dans ses cheveux blonds des fils d'argent s'étaient faufilés, en avaient terni l'éclat.

— Tu... tu as vieilli, bégaya Nancy. Depuis quand?

— Depuis le premier jour, avoua Molly.

— Et tu le savais?

— Naturellement...

Nancy était consternée. Elle n'avait rien vu! Et pourtant, les signes étaient déjà là, très nets, mais elle s'était occupée à courir de tous côtés pour les préparatifs de sa fête! Elle se sentit soudain écrasée sous le poids. Que faire? C'est elle qui avait libéré Molly du timbre et qui lui avait pour ainsi dire redonné la vie. Et maintenant? Cette même vie marquait, détruisait petit à petit le visage, les mains, le corps de Molly.

— C'est horrible, murmura Nancy.

Elle réfléchissait. Sans aucun doute, il leur fallait de l'aide, mais où la trouver? Demander l'avis de monsieur Bronson? Il était lui-même si vieux!

— Je veux rentrer chez moi, dit Molly.

À ce moment précis, Nancy eut probablement donné n'importe quoi pour pouvoir exaucer le vœu de Molly, mais elle ne connaissait pas la formule magique. D'ailleurs, existait-elle?

Et les parents qui allaient bientôt être là!

— Allez viens, Molly, il faut dormir. Tu es sûrement très, très fatiguée.

Molly l'était, assurément. Et Nancy aussi, mais ce n'est pas cette nuit-là qu'elle put dormir. Les idées tournoyaient dans sa tête à une vitesse effarante. Peut-être pourrait-on essayer des bains d'huiles douces? Ou les crèmes de beauté de sa mère? Ou peut-être qu'il fallait remettre Molly sur un timbre...?

* * *

Nancy ne fut pas la seule à rester éveillée. Chassé par les cris et les bousculades des garçons, Tommy était rentré chez lui dans un état proche du désespoir. En ruses et en blagues, Tommy le

Farceur s'y connaissait, et les hauts cris d'indignation des autres ne l'avaient jamais ému outre mesure... jusqu'à ce soir. On l'accusait d'avoir fait vieillir Molly! Quelque part en lui, une petite voix l'obsédait : «Mais tu allais la vendre!» Seul, affaissé dans le fauteuil de sa chambre sous les combles, il revoyait les traits flétris de Molly.

— C'est faux, hurla-t-il, soudain pris d'une rage folle. J'ai seulement négocié l'image d'un bonhomme sur un timbre avec cet idiot de Gaétan. Je n'ai pas vendu Molly!

Il venait d'apercevoir au pied de son lit la mallette de Charles que Nancy lui avait littéralement poussée entre les bras en y enfouissant pêle-mêle les vêtements de Molly. La mallette de Charles Merriweather, celle-là même qui était tombée du timbre en même temps que la jeune fille. Il l'attrapa et la lança violemment contre le mur. Elle retomba sur le sol avec un bruit sourd, et Tommy s'écroula de nouveau dans son fauteuil, à peine soulagé par son accès de rage.

Mais la mallette qui gisait sur le sol à moitié ouverte semblait le narguer. Il la poussa du bout de son pied. Soudain, il remarqua une minuscule ouverture en dessous, qui lui parut bizarre. On aurait dit un compartiment secret dont la serrure venait de céder sous le choc. Machinalement, comme mû par un ressort invisible, il ramassa la mallette et glissa sa main dans la pochette. Un objet dur. Il le retira avec précaution, méfiant. Peut-être que l'objet allait lui exploser au visage? Il tourna et retourna dans sa main cet étrange paquet, ficelé comme un saucisson et pas plus gros que son canif. Le papier qui l'emballait était tellement jauni qu'il semblait tenir par miracle, mais lorsque Tommy tira sur le bout de ficelle, ce fut sans succès, elle semblait collée dans le goudron. Il tira de nouveau, secoua, tenta de l'arracher avec ses dents, rien à faire la ficelle résistait. Décidément, tout paraissait se liguer contre lui. Et même ce damné paquet qui lui brûlait les doigts... Frustré, il projeta l'objet sur le mur avec la même force rageuse qui lui avait fait lancer la serviette un instant plus tôt, mais cette fois, à sa grande surprise, rien ne retomba au sol.

Le saucisson ficelé s'était fiché au mur et semblait s'y tenir tout seul. Tommy écarquilla les yeux. Prudemment il s'approcha, osant à peine tendre la main. L'objet restait planté tout droit comme un poignard. D'un coup sec, il tira, et son doigt découvrit aussitôt une pointe acérée, fine comme une aiguille, qui dépassait tout juste du papier. Avec précaution, méthodiquement, il entreprit de déficeler le mystérieux paquet. La ficelle se déroula enfin et quelque chose tomba à ses pieds. Une fléchette!

Sidéré, Tommy la considéra pendant un long moment. Une fléchette dans la mallette de Charles? Pourquoi une fléchette? S'il s'agissait d'une arme pour se défendre en cas d'attaque, elle lui semblait bien inoffensive. Il examinait le vieux manche de bois et la fine tige de métal, tout en froissant pensivement le papier d'emballage qu'il tenait toujours. Une vieille coupure de journal de 1930 sans doute. Il défroissa distraitement le papier et fit un bond. Sept lettres venaient de lui sauter aux yeux : C-H-A-R-L-E-S !

La nuit de Tommy fut longue et tumultueuse.

* * *

Celle de Nancy aussi! Au petit jour, elle n'avait pas encore fermé les yeux et, lorsqu'elle s'assoupit enfin, ce fut pour descendre au pays des cauchemars. Des centaines de vieilles petites

Molly l'entouraient, la poursuivaient. Nancy voyait son propre reflet dans mille miroirs, découpé en minuscules morceaux qui se détachaient de son visage, de ses mains, de son corps. «Pourquoi m'avoir libérée du timbre? criaient les bouches des vieilles dames ridées, comme dans un écho. Si c'était pour me laisser vieillir d'une année à l'heure, valait mieux m'y laisser... m'y laisser... m'y laisser!»

— C'est vrai! cria Nancy en bondissant de son lit, étonnée de se retrouver entière, en un seul morceau.

Avait-elle dormi une minute? Une heure? Derrière les rideaux tirés, le jour pointait. Elle hésita. Devait-elle retourner au lit ou courir voir Molly?

Voir Molly, mais quelle Molly? se demanda Nancy en frissonnant. Il le fallait bien pourtant. Hélas! cette longue nuit tourmentée ne lui avait apporté aucune solution. Elle n'était pas plus avancée ce matin que la veille...

— Qui donc pourrait m'aider? se demanda Nancy en enfilant ses vêtements. Je ne peux pas la laisser vieillir à cette vitesse sans tenter quelque chose.

L'escalier craqua lorsqu'elle mit le pied sur la première marche. Elle fut presque rassurée. L'escalier craquait chaque matin lorsque sa mère descendait à la cuisine. Sa mère? Mais oui, peut-être pouvait-elle l'appeler, lui demander conseil... Elle aurait sûrement de bonnes idées. Nancy s'arrêta net au milieu de l'escalier.

— Oui... mais comment lui expliquer?

Elle sentit le poids lui retomber sur les épaules. Non... décidément trop compliqué! Elle écouta un instant le silence autour d'elle : Ralph dormait sans doute sur ses deux oreilles, songeat-elle excédée. Et Molly?

Elle déposa les oranges dans l'extracteur de jus et mit les muffins au maïs à chauffer tout en préparant le lait au chocolat. À la longue, tous ces menus gestes familiers la calmèrent un peu.

Le soleil était encore doux à cette heure matinale, et lorsque Nancy s'attabla, seule devant son petit déjeuner, elle avait déjà commencé à reprendre un peu courage. Elle retrouvait petit à petit son sens de l'initiative et son enthousiasme. Bien sûr, il y avait une solution. D'abord, elle allait consulter monsieur Bronson. Après tout, il était leur ange gardien officiel en l'absence des parents, et puis, avec son expérience de vieux sage, il allait sûrement avoir des idées.

Pour l'heure, elle dégustait lentement

son lait au chocolat et son muffin tartiné d'une odorante confiture aux fraises maison. Puis, elle irait porter à Molly un attrayant plateau, plein de gâteries.

Elle était justement à le préparer lorsque Ralph entra dans la cuisine en se frottant les yeux.

— Comment est Molly? demanda-t-il.

— Je ne sais pas, elle dort encore.

— Tu crois qu'elle aura encore vieilli cette nuit?

Nancy poussa un soupir.

— J'espère que ça s'arrête quand elle dort.

— Et maintenant, qu'est-ce que tu vas faire?

— Comment, ce que je vais faire? C'était ton idée aussi, je te signale.

Ralph grimaça :

— Et celle d'Albert...

Exaspérée, Nancy leva les yeux au ciel.

— Ah! celui-là!

Elle avait terminé le plateau pour Molly et sortait de la cuisine.

— Je viens avec toi?

— Non, non. Molly a sûrement besoin de calme.

Ralph n'eut pas une seconde la tentation d'insister, il s'affaira à préparer ses gaufres favorites.

Après avoir frappé à la porte de Molly, Nancy eut un instant de panique. Pas de réponse! Elle poussa la porte du pied. Personne, la chambre était vide. Elle faillit appeler Ralph, puis se ravisa.

Elle allait déposer le plateau pour faire le tour de la maison lorsqu'elle entendit un léger bruit là-haut. : «Elle est montée au grenier!» se dit-elle, et elle grimpa quatre à quatre l'escalier coulissant dans le plafond du couloir. Molly était là, en effet.

— Qu'est-ce que tu fais ici?

Molly sourit en soulevant la longue robe blanche qui lui tenait lieu de chemise de nuit.

— Tu vois, j'essaie de vieux trucs.

Soulagée, Nancy éclata de rire en déposant le plateau du petit déjeuner. L'odeur du lait au chocolat fumant se répandit dans la pièce, et c'est presque avec appétit que Molly mordit dans un muffin doré.

Discrètement, Nancy examinait la jeune fille. De nouveaux fils blancs étaient apparus dans sa chevelure, et la main droite qui tenait la tasse était sensiblement plus plissée, mais les yeux de Molly avaient gardé leur éclat. Nancy se prit à espérer.

— Quand tu seras prête, nous irons

ensemble voir monsieur Bronson. Pour ton problème, il s'y connaît sûrement, lui. Il a ton âge...

— Quel âge? demanda Molly.

Nancy se mordit les lèvres : «Voilà bien une phrase malencontreuse j'aurais bien pu éviter ça...!» Elle bafouilla :

— Euh! j'en sais trop rien... Il est bon le lait au chocolat, hein?

— Délicieux, sourit Molly.

Nancy avait tourné la tête. Des pas... quelqu'un venait dans l'escalier. Elle n'eut pas à s'interroger longtemps. Une boule de cheveux drus et bouclés apparaissait dans l'embrasure, suivie d'une paire de lunettes rondes sur un nez droit comme une pente de ski.

— Oh! pas lui, soupira Nancy. Qu'est-ce que tu viens faire ici, Albert? Il est trop tôt...

— Oh! non, coupa Albert en traversant la pièce en trois enjambées. Pas trop tôt pour vous informer de mon idée de génie.

Nancy ne savait pas si elle devait rire ou pleurer, mais chose certaine, la dernière chose dont elle désirait entendre parler ce matin, c'était bien les idées géniales d'Albert.

— J'ai fait mes petites recherches hier, et j'ai même trouvé le nom d'un médecin pour Molly!

— D'un médecin? Tu es fou? s'exclama Nancy.

— Absolument, déclara Albert l'expert sur un ton péremptoire, un médecin de la clinique gériatrique!

Les jeunes filles échangèrent un regard perplexe.

— C'est quoi une clinique gériatrique? demanda Molly.

— C'est un endroit où l'on soigne les personnes âgées, expliqua Albert condescendant.

— Tu as perdu la tête? cria Nancy hors d'elle. Il n'en est pas question.

— Où est ma valise Nancy, intervint Molly. Il faut que j'aille...

— Tu vois? triompha Albert. Une bonne décision, Molly. Tu auras des soins spécialisés, adaptés à ton cas...

Molly continua sans même regarder Albert :

— Je retourne à Londres, je suis sûre que mon frère Charles m'attend là-bas.

— Et tu feras ça comment? demanda Albert en évitant soigneusement de mentionner les timbres.

— En voilà assez, protesta Nancy. Merci beaucoup de ton aide, mais maintenant tu peux filer.

— Le médecin est prévenu, insista

Albert. Il l'attend demain matin à la première heure.

Molly éclata en sanglots.

* * *

La journée entière passa à réconforter Molly, à la rassurer, à lui promettre qu'Albert ne pouvait absolument pas la forcer à voir ce médecin, que sûrement monsieur Bronson aurait de meilleures idées...

Il fallait réfléchir. Mais à Nancy, les idées ne venaient pas vite, et celles de Ralph étaient totalement nulles. Poster Molly à son frère Charles? Mais où? On ne possédait aucune adresse... Sans en avoir l'air, Nancy guettait sur le visage de Molly des signes de vieillissement : une ride qui apparaissait, une autre qui se creusait davantage, une nouvelle mèche de cheveux qui tournait au blanc...

— Tu veux qu'on aille tout de suite voir monsieur Bronson? suggéra Nancy.

Instinctivement, Molly eut un geste pour cacher son visage.

— Euh!... non, attendons à demain, peut-être que j'irai mieux...

Nancy en doutait fort mais elle n'osa pas la contrarier.

— Si on écoutait de la musique? dit Ralph!

— Pourquoi pas? répondit Molly avec un sourire. Non pas qu'elle faisait grande confiance aux goûts musicaux de Ralph, mais ça les occuperait...

Heureux de se rendre enfin utile, Ralph choisit soigneusement un disque susceptible de plaire à Molly. Les premières notes s'égrenaient doucement lorsqu'un bruit sec sur la vitre de la fenêtre les fit sursauter. Puis, plus rien. La musique emplissait la pièce. Mais soudain, ils entendirent un sifflement aigu, prolongé, et de nouveau quelque chose frappa la vitre. Nancy y courut la première.

— C'est Tommy!

Molly qui l'avait rejointe, poussa un cri de surprise en voyant Tommy qui lui faisait désespérément signe de descendre.

— Ce sont mes vêtements qu'il porte! Comment a-t-il pu mettre la main sur mes affaires?

— Suivez-moi, cria Tommy d'en bas. Venez vite, c'est urgent. Rendez-vous à la vieille école!

Il n'attendit même pas la réponse. Il tourna les talons et disparut dans les buissons.

— On y va? demanda Ralph.

— A-t-on vraiment le choix? soupira Nancy en entraînant Molly par la main.

Le son de la musique les accompagnait pendant qu'ils sortaient du jardin. Ralph ouvrait la marche.

— La vieille école, c'est par là.

«On y entrera comment? s'inquiétait Nancy, c'est les vacances, tout est fermé.» Mais, Tommy avait tout prévu. Il les attendait déjà derrière une large fenêtre ouverte. Dès qu'il vit Molly, il lui tendit la main pour l'aider à sauter à l'intérieur, et les autres suivirent aussitôt.

— Comment se fait-il que tu portes mes vêtements? demanda Molly, indignée. Tu n'avais pas le droit.

Tommy haussa les épaules comme si la question était tout à fait hors de propos :

— C'était la seule façon de m'assurer que tu viennes, expliqua-t-il tranquillement.

— C'est une raison ridicule, protesta Molly, outrée que Tommy ait osé prendre ses effets.

— J'ai même ouvert ta valise, continua Tommy sans hausser le ton.

— Quoi? Tu as...

Il l'interrompit :

— Oui, et j'y ai trouvé quelque chose.

Il avait pressé le pas, et les autres le suivaient avec difficulté dans le long corridor sombre. Il s'arrêta enfin et poussa la porte d'une salle, où il leur fit signe d'entrer. Plus intriguée qu'irritée par le manège de Tommy, Nancy pénétra la première dans la vaste salle où elle s'attendait presque à découvrir un fantôme. Elle fut déçue. Une salle de récréation empoussiérée, encombrée, sans dessus dessous, où, tout au fond, trônait la scène du théâtre des élèves.

Ralph, lui, n'était pas très rassuré. Avec Tommy, pouvait-on jamais l'être? Il lançait des regards méfiants aux quatre coins de la pièce, ce qui lui permit au moins de repérer un vieux fauteuil à roulettes qu'il poussa jusqu'à Molly. Elle s'y laissa tomber sans même s'en rendre compte. Tommy s'approcha.

— Quelque chose qui pourrait peut-être nous aider, dit-il, comme s'il n'avait pas interrompu son discours.

Inutile de se demander s'il apercevait toutes les questions muettes dans les regards posés sur lui! Il savourait...

— Une fléchette! dit-il en mettant sous les yeux de Molly l'objet qu'il venait de sortir de sa poche.

Rien n'aurait pu décrire la surprise générale. Quoi? Il les avait tous fait courir jusqu'ici pour ça?

— Une fléchette? fit Molly.

— Comme tu vois, et encore empennée de quelques belles vieilles plumes.

— C'est bizarre... dit la jeune fille en tendant la main pour prendre l'objet.

Tommy recula.

— Mais ce n'est pas tout, et même pas le plus important.

Quelque chose de la fougue de l'ancien Tommy refaisait surface. On l'avait accusé de tous les maux et maintenant, Nancy était là, pendue à ses lèvres.

Visiblement, ses paroles mystérieuses commençaient à capter l'attention de son auditoire.

— Elle est arrivée drôlement bien emballée, cette vieille fléchette, et pas dans n'importe quoi...

Il tira le papier de sa poche et le défroissa pendant quelques secondes avant de le déplier tout à fait.

— Dans une lettre de Charles! annonça-t-il triomphalement.

L'effet escompté ne se fit pas attendre. Ralph avait blêmi. Nancy s'était laissée choir sur le parquet, bouche bée. Et Molly? Elle se précipita sur Tommy.

— Une lettre de Charles?

— Absolument, confirma Tommy, et je vais te la lire.

Il s'installa à une table où tout le monde le suivit :

— *Ma très chère Molly*, commença

Tommy en pointant chaque mot du doigt, *si un malheur devait t'arriver, cette fléchette sera ta sauvegarde. Elle a peut-être l'air inoffensive, mais surtout n'en crois rien, car elle possède des pouvoirs magiques et elle peut te ramener à moi...*

Nancy avait froncé les sourcils. Se pouvait-il qu'il s'agisse d'une mauvaise blague de Tommy? Elle entendit Molly qui répétait, comme si elle n'était pas sûre d'avoir bien entendu : «Te ramener à moi!...»

Nancy observait tour à tour le visage de Molly que l'espoir semblait raviver et celui de Tommy, imperturbable. Il reprit sa lecture.

— ... *il te suffira de la lancer sur la plus grande mappemonde que tu pourras trouver. Affectueusement, Charles.*

Un silence de plomb suivit la dernière phrase de Tommy. Fallait-il y croire? Chacun s'interrogeait, personne n'osait émettre une opinion. Ce fut Molly qui parla la première, comme dans un rêve.

— Oui, je crois me souvenir qu'il avait parlé d'une carte et d'une fléchette.

— Et moi, s'exclama Tommy le visage radieux, j'ai trouvé la mappe-monde!

Ce disant, il bondit en trois enjambées

sur la scène et d'un geste théâtral tira le lourd rideau.

— Voilà sur quoi il faut lancer la fléchette!

Une magnifique mappemonde couvrait le mur entier.

Cette fois, Nancy fut presque conquise. Cet imprévisible Tommy allait peut-être sauver la situation, après tout!

— Et qui accompagnera Molly? demanda Ralph. Je suis le plus petit, je ne prendrais pas beaucoup de place sur le timbre.

— Et te retrouver en Chine? pouffa Nancy. Non, je suis une fille, c'est normal que ce soit moi!

Molly ne semblait même pas suivre la conversation, son esprit était ailleurs, déjà avec Charles.

— C'est la fléchette qui décidera, trancha Tommy.

Personne ne put s'objecter. On s'installa en cercle autour de la table où Tommy venait de poser la fléchette.

— Je suis prête, murmura Nancy. Vas-y, tourne.

Lentement, solennellement, Tommy posa le pouce et l'index sur le manche de bois. Puis, en retenant son souffle, il imprima le mouvement d'un coup sec. Aussitôt, la fléchette se mit à tournoyer sur elle-même à folle allure, comme si elle n'allait plus jamais s'arrêter. Tous les regards fascinés étaient rivés sur la ronde endiablée. Puis, imperceptiblement, le mouvement se mit à ralentir jusqu'à ce que la fine tige pointe en direction de Nancy! Son visage s'éclaira d'un radieux sourire.

— C'est m...

Les mots n'eurent pas le temps de se former sur ses lèvres, la fléchette bougea lentement, vers la droite, pour s'immobiliser finalement devant Tommy. Tout s'était passé si vite qu'il n'avait montré aucune réaction. Il se tourna vers Nancy.

— Désolé, dit-il en haussant les épaules dans un geste qui se voulait d'impuissance, cette fois je n'y suis pour rien.

Ce fut à ce moment-là que Molly sortit enfin de sa torpeur. Elle se mit à tourner sur elle-même comme la fléchette sur la table.

— Je vais revoir Charles!

Son bonheur faisait presque peine à voir. Revoir son frère? Peut-être, si encore il était vivant, mais dans quel état? Cette pensée n'effleurait même pas la conscience de Molly. Elle retournait à Londres, et le moyen lui importait peu, timbre ou fléchette. Elle n'eut pas la moindre hésitation lorsque Tommy déclara :

— Viens Molly, nous partons!

Mais Nancy s'affola. Autant elle avait désespérément cherché des solutions à l'effroyable problème de Molly, autant elle se demandait maintenant s'il était sage de la confier à Tommy. Qui pouvait se permettre de le croire? Surtout pas Nancy, elle qui avait déjà été victime du Farceur. Pourtant, sans raison, Molly avait semblé lui faire confiance dès l'instant où elle l'avait vu. Elle lui avait même souri, ce qui avait d'ailleurs fort irrité Albert.

Mais le sort en était jeté. Tommy avait passé un bras protecteur autour des épaules de la jeune fille et, de sa main droite, il pointait la fléchette sur la grande mappemonde accrochée au mur.

Nancy, malgré tout, ne put s'empêcher d'intervenir. Elle saisit le bras de Tommy.

— S'il devait lui arriver malheur, je ne te pardonnerais jamais, tu m'entends?

— Il ne lui arrivera rien, je te le jure, rétorqua Tommy en la regardant droit dans les yeux.

— Bon voyage, soupira Ralph, qui était visiblement encore sous le choc des événements.

— Au revoir Molly, dit Nancy en l'embrassant. J'espère que tout ira bien. Tu me manqueras.

— Tu me manqueras aussi, dit Molly, et merci pour tout.

À la grande surprise de Tommy, Nancy s'approcha alors de lui et elle posa un léger baiser sur sa joue. Il faillit en perdre l'équilibre! Une grande douceur voila son regard et ses joues s'empourprèrent.

— On y va! murmura-t-il. Et alors, sans que personne en aie eu conscience, la fléchette quitta si vite les doigts de Tommy qu'on la vit à peine se ficher sur un point minuscule de la grande carte murale. Pas un son, pas un mouvement.

Trois secondes peut-être s'écoulèrent. Trois secondes d'attente, d'angoisse... Tommy tenait toujours Molly serrée contre lui. Ils n'avaient pas bougé. Le visage de Tommy s'était rembruni.

— Il ne se passe rien, chuchota-t-il, infiniment perplexe.

— Eh! non, confirma Nancy, déçue elle aussi. On dirait que c'est raté, la magie n'a pas fonctionné...

Ses derniers mots se perdirent dans le bruit d'un long sifflement aigu. Un jet de lumière blanche enveloppa les deux voyageurs, les souleva, les entraîna dans une série de tourbillons, comme un chapelet d'entonnoirs qui les engloutissaient dans un interminable remous.

À cheval sur la fléchette, Molly serrait de toutes ses forces la taille de Tommy assis devant elle, mais sa tête dodelinait sur son épaule, elle s'était à moitié évanouie. Tommy, non. Il vit très bien la pointe lumineuse de la fléchette qui les sortait du tunnel à la vitesse de l'éclair, puis poursuivait sa course dans un vaste ciel sombre peuplé de timbres d'une infinie variété. Avec son double fardeau, la fléchette filait dans le noir, contournait ici un dinosaure, là une reine célèbre... et évita de justesse un gros chat noir qui faisait toute la surface du timbre — et qui fit hurler Tommy. Sur leur vaisseau spatial incongru, les voyageurs flottaient dans l'espace, entourés de milliers de timbres qui faisaient office d'étoiles. Tommy regardait tout autour, tantôt émerveillé, tantôt effrayé. Il lui semblait que le voyage durait un siècle. Soudain, il vit un paysage qui venait droit sur eux, aussi vite que la fléchette allait vers lui. Tommy s'affola. Pourquoi ce malheureux timbre ne s'écartait-il pas de leur chemin? Non seulement il refusait de s'éloigner mais la fléchette semblait s'accélérer. De son perchoir précaire, Tommy identifia avec certitude une île verdoyante, au beau milieu du timbre. Ils allaient entrer en collision!

Les cris de Tommy ranimèrent Molly à peine deux secondes avant le choc! La fléchette déposa brusquement ses passagers au-dessus d'une vaste étendue turquoise. Molly tomba la première et roula dix pas plus loin sur un lit de sable blanc comme neige. Tommy n'eut pas cette chance. Les volutes d'eau qui s'élevaient autour de lui ne laissaient aucune place à l'imagination : il était tombé dans la mer! Il avala une copieuse gorgée d'eau salée, cracha, s'étouffa trois fois en pataugeant vers le rivage.

Lorsqu'il émergea enfin, ses yeux ne voyaient plus qu'une énorme roulette de bleu, de vert, de blanc qui tournait en tous sens comme la queue d'un cerf-volant. Il mit pied sur le sable, se frotta les yeux, regarda autour de lui.

— C'est une île! Une vraie île.

Il se sentit pris de vertige. «L'île de ses rêves! Son royaume, peut-être!» Mais où était passée Molly?

Il aperçut plus loin une petite forme presque invisible dans le sable blanc. Il courut vers elle. Molly se relevait, regardait autour d'elle, émerveillée.

— Londres! s'écria-t-elle. Comme tout a changé!

Tommy hocha la tête en murmurant.

— J'ai peut-être enfin trouvé mon royaume...

— Comme la Tamise est devenue propre!

Tommy venait d'apercevoir la fléchette plantée dans un coco de mer, et tout près, son sac.

— Tommy, tu es à Londres avec moi. N'est-ce pas merveilleux?

Il ramassa le sac et mit la fléchette en sécurité dans sa poche. Qui sait, ça pourrait servir? Il mit un long moment avant de se tourner vers la jeune fille. Évitant son regard, il annonça :

— Molly, nous ne sommes pas à Londres.

La stupéfaction se peignit sur son visage.

— Pas à Londres?

— Nous ne sommes même pas en Angleterre.

Le choc lui fit monter les larmes aux yeux.

— Mais Charles alors? Comment vais-je retrouver mon frère?

Tommy se fit rassurant, mais il se sentait plutôt inquiet. En effet, il s'était engagé auprès de Nancy à mener Molly à bon port, et voilà qu'ils étaient tombés dans une île perdue.

— La fléchette devait nous conduire à Londres, mais, tu vois, elle nous a amenés ici...

— Qu'est-ce qu'on va faire maintenant? demanda Molly visiblement inquiète.

—C'est pas grave, riposta Tommy avec un clin d'œil, j'ai toujours la fléchette et surtout j'ai mes timbres. On en prendra un pour rentrer... Si on trouve une boîte postale! murmura-t-il en regardant le rideau de palmiers devant lui.

Tout s'était passé si vite! Depuis combien de minutes avaient-ils quitté la vieille école pour se retrouver sur cette plage déserte? Tommy examinait les lieux. Décidément, rien à voir avec «son» île de Sorel. Devant lui, la mer à l'infini, qui semblait s'enrouler autour de la terre entière. Des eaux turquoises qui viraient par endroits au vert tendre. Et du sable, blanc, fin comme de la poudre, que le soleil couchant colorait de taches dorées. «Pas d'embarcation, on est forcément prisonnier ici pour longtemps», pensa Tommy.

Derrière eux, des arbres et un mur vert, impénétrable et aussi silencieux qu'une église. «C'est pourtant par là qu'il faut aller», se dit Tommy en avançant de quelques pas vers la forêt. Molly n'avait pas bougé de son point de chute. Tommy fit quelques pas, et son cœur bondit dans sa poitrine. Un toit! À trois mètres, dissimulé sous les branches, il venait d'apercevoir un coin de toit en palmes séchées.

— Bravo, cria-t-il à Molly sans se retourner, nous avons au moins un abri pour la nuit.

Pour toute réponse, il entendit une étrange mélodie. Molly? Il revenait en courant vers elle lorsqu'il surprit la direction de son regard. Là-bas, sur l'eau vert tendre, un jeune garçon à la peau cuivrée se tenait debout dans une légère embarcation. Il chantait!

— Une barque! cria Tommy en attrapant Molly par la main. Viens vite!

Sous l'impulsion régulière de l'aviron,

le garçon dirigeait sa pirogue vers la plage. Il n'avait pas cessé de chanter. Tommy n'attendit pas que la barque touche le fond, il entra dans la mer en entraînant Molly qu'il poussa à bord du bateau. Le garçon tendit la main pour l'aider. Il souriait et ne semblait pas plus étonné de les trouver là que s'il les y avait laissés la veille. Tommy monta à son tour.

Du bout de son aviron, le garçon repoussa vers le large sa longue barque étroite, sans échanger le moindre mot avec ses passagers. La mer tournait au bleu sombre, où se reflétaient les faisceaux rouges du soleil couchant. Le garçon chantait.

Il ne fut pas long à trouver ce qu'il cherchait. D'un habile coup d'aviron, il pointa sa pirogue vers le rivage d'une autre île que la première dissimulait. Il entra dans la crique et sauta à terre. Il mit à peine quelques minutes pour ramasser un tas de branchages. Molly se laissa tomber sur le sol, épuisée.

— Quel est ton nom? demanda Tommy.

— Toa.

Pour la première fois, ils entendaient le son de sa voix douce et rieuse.

— Où sommes-nous? osa demander Molly.

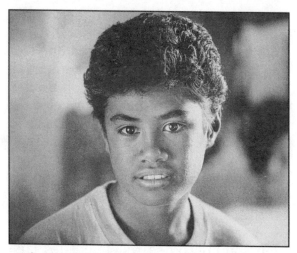

À travers ses dents aussi blanches qu'une rangée de perles, le garçon égrena des mots mélodieux comme une chanson :

— Aux îles Cook, dans l'océan Pacifique... À Roratonga.

Les deux visiteurs se regardèrent, ils n'avaient pas la moindre idée où se trouvaient ni les îles Cook, ni Roratonga. Mais quelqu'un était là pour les secourir, voilà tout ce qui comptait pour l'instant.

— Tu peux nous aider? supplia Tommy. Mon amie est très malade, et son état s'aggrave à vue d'œil.

Le garçon jeta un regard sur Molly.

— Peut-être, murmura-t-il... Demain.

Puis il se remit à chanter, pendant

que Tommy mettait le feu aux branchages amassés par Toa, histoire de se rappeler l'île aux Fantômes...

Seules les flammes rouges et bleues éclairaient maintenant la nuit. Ni le murmure des vagues, ni les mystérieux bruits de la forêt n'atteignaient Molly. Elle dormait, recroquevillée près du feu.

* * *

L'aube pointait à peine lorsque Toa remit son embarcation à l'eau. Voyageurs et bagages avaient pris place à bord, Toa devant et Molly derrière. Assis au milieu, Tommy regardait avec intérêt le magnifique paysage qui défilait sous ses yeux. Timidement, il fredonnait le chant que Toa avait repris. Soudain, un coup de roulis. Molly s'était levée.

— Est-ce que nous rentrons à Londres?

La pirogue berça légèrement. Les garçons chantaient toujours. Molly fit un pas, et Tommy se retourna, surpris.

— Molly, assieds-toi! Tu fais rouler la barque!

— Il faut rester assise, Molly, insista Toa.

Molly risqua un autre pas et cria pour couvrir le bruit des vagues :

— Je veux savoir si nous rentrons à Londres.

Cette fois, elle accompagna sa question d'un large geste du bras. L'impuissance se peignit sur le visage de Toa.

— Tu vas nous faire chavirer, hurla Tommy.

Molly fit un bond vers l'arrière, et le bateau se mit à danser de droite à gauche comme un bouchon de liège. Une vague frappa Molly de plein fouet. Elle disparut sous l'eau verte avant même que Tommy ait pu tendre le bras pour la retenir. Il plongea aussitôt.

Empêtrée dans sa longue jupe blanche, Molly tournoyait, lapée par les courants de fond. N'eut été de la superbe transparence de l'eau et des bras costauds de Tommy, Molly aurait pu avaler quelques bonnes tasses additionnelles d'eau salée, mais elle s'en tira à bon compte. Tommy l'avait rattrapée et la tirait vers le bateau.

— Agrippe-toi à la barque, cria-t-il en hissant la jeune fille sur ses épaules.

Toa ayant aidé Tommy à la remonter dans la barque, Molly se retrouva rapidement assise au fond, dégoulinante, toussant, crachant, gémissant, mais sans mal. Une baignade inattendue quoi!

Une fois Molly en sécurité, Tommy avait replongé. L'eau était si chaude, si claire, si belle avec ses fourmillements de poissons de toutes les formes et de toutes les couleurs... Tommy piqua vers le fond et il nageait depuis une minute à peine lorsqu'il aperçut une ombre qui prenait, au milieu des vagues, une forme incongrue : celle d'un avion! Il s'approcha doucement, juste à temps pour apercevoir une... deux... trois tentacules qui ondulaient derrière le hublot de l'appareil. Une pieuvre dans un avion! Tommy remonta en flèche à la surface de l'eau et s'agrippa à la barque.

— Toa! Tu sais ce qu'il y a là-dessous?

Le garçon à la peau cuivrée éclata de rire.

— Évidemment que je le sais! Simplement une pieuvre qui habite dans un avion...

En riant, les garçons reprirent les avirons en direction du rivage. À mesure qu'ils approchaient, Tommy distinguait la cime des montagnes verdoyantes, les cocotiers qui bordaient l'orée de la forêt, le sable d'une blancheur si éclatante qu'il faisait mal aux yeux. Une splendeur, ce paysage. Toa avait sauté sur la grève et tirait le bateau hors d'atteinte de la marée. Tommy et Molly le suivirent avec leurs minces bagages. Soudain, Toa fit un bond pour éviter un énorme coco qui venait de se détacher de son arbre. Puis un autre tomba avec fracas et un autre encore.

— Vite, courez, cria Toa en se dirigeant pour s'abriter sous une chaloupe renversée sur le sable.

Il y poussa ses deux passagers à l'instant même où, à deux pas d'eux, s'abattait un autre coco.

Manifestement soucieux, le garçon observa Tommy.

— Tu as fait quelque chose de mal?

— Non, protesta Tommy.

Bang! Un cinquième énorme coco vint s'écraser sur la chaloupe.

— Alors, tu t'apprêtes à faire quelque chose de mal?

Molly était terrorisée et, si possible, Tommy plus encore. Pourquoi le garçon posait-il ces questions bizarres? Il protesta de nouveau avec force.

— Non, je le jure!

Ce disant, il aperçut un monstre velu qui rampait sur le sable dans sa direction.

— Wow! Qu'est-ce que c'est que ça? demanda-t-il en repliant ses jambes sous lui.

Au loin, dans la forêt, une musique vibrait.

— Ce n'est qu'un crabe des cocotiers, répondit Toa en haussant les épaules. Allez, venez maintenant.

— Merci, murmura Tommy sans trop savoir pourquoi.

Suivi des deux voyageurs, Toa grimpait le sentier abrupt qui menait au village dissimulé dans la verdure. Il s'arrêta soudain et d'un large mouvement des bras, il désigna le paysage et l'anse secrète où flottaient des bateaux, annonçant avec un sourire heureux :

— Voici mon île. Je l'appelle «l'île des cures».

— Vraiment? dit Molly, une pointe d'espoir dans la voix.

Ici et là, à travers les arbres, les voyageurs distinguaient des toits bleus, blancs, verts. Des fleurs superbes bordaient le sentier, qui bifurqua tout à coup sur la gauche. Laissant ses amis derière lui, Toa courut vers la petite maison au fond du jardin, où un vieil homme se berçait doucement en fumant sa pipe sur la véranda grillagée.

— C'est Papa Rangi, cria Toa en leur faisant signe d'approcher. Il sait soigner les gens. Peut-être qu'il peut guérir Molly.

Dans sa langue, le vieil homme expliqua longuement quelque chose à Toa, tout en entraînant ses visiteurs à l'intérieur de la maison.

Molly regardait autour d'elle le cœur serré. Seule dans ce pays perdu dont elle ignorait tout, elle se sentait vulnérable et elle prit peur. Elle serra le bras de Tommy.

— Tu ne vas pas m'abandonner ici, hein?

— Bien sûr que non, s'indigna Tommy.

Papa Rangi n'avait pas encore terminé ses explications lorsqu'une voix claire et chantante vint soudain l'interrompre.

— Toa! s'exclamait la voix.

Une jeune fille aux yeux pétillants, très jolie, venait de passer la tête dans l'embrasure de la porte.

— Toa, où étais-tu passé? Depuis hier, je t'ai cherché partout à la grandeur de l'île!

— À la pêche, répondit laconiquement Toa.

— Et voilà, tu as manqué la répétition pour le mariage de Tantie!

— Je ne veux pas aller au mariage, tu le sais bien.

Agacée, elle secoua sa lourde chevelure noire.

— Bien sûr que tu viens au mariage, tu dois danser pour ta tante...

C'est alors qu'elle aperçut Tommy, sur une banquette adossée au mur, et Molly que le vieux Papa Rangi venait de faire allonger sur un lit.

— Oh! Qui sont-ils?

— Tommy et Molly, du Canada. Voici ma sœur Maara, dit-il à Tommy.

— Salut.

— Molly est très malade, expliqua Toa à sa sœur.

La jeune fille s'approcha du lit et caressa le front ridé de Molly. Pourtant, rien dans ses yeux ne traduisit son étonnement à la vue du visage profondément marqué de Molly. Celle-ci avait encore vieilli et sa peau plissée lui donnait au moins soixante-dix ans d'âge.

— Ne t'en fais pas, chuchota Maara. Papa Rangi est un grand maître, il connaît tous les secrets.

Mais celui qui s'étonnait, c'était Tommy. Pendant que Molly gisait sur le lit, les yeux mi-clos, le vieil homme venait d'apporter un gros album qu'il déposa sur les genoux de Tommy.

— Qu'est-ce que c'est? demanda Tommy.

Le vieillard l'ouvrit et Tommy s'exclama, ahuri :

— Un album de timbres des îles Cook!

Sous ses yeux défilèrent les plus merveilleux poissons, les oiseaux les plus étranges et des fleurs magnifiques comme jamais encore il n'en avait vu.

— Papa Rangi a la plus belle collection de l'île, expliqua Toa comme si c'était la chose la plus naturelle au monde.

Que le vieil homme soit fier de sa collection n'avait rien d'étonnant, mais qu'il la montre à son invité au moment même où Molly avait désespérément besoin de ses soins, voilà qui mettait Tommy dans tous ses états. Pourtant, l'espace d'un instant il avait presque oublié Molly. Sa passion des timbres avait ressurgi dans toute sa force — et sa convoitise, aussi!

Toa vit la confusion sur le visage de Tommy. Il sourit.

— Les timbres de Papa Rangi possèdent des pouvoirs magiques, voilà pourquoi il te les montre.

Tommy laissa presque échapper un soupir de soulagement, mais c'est avec peine qu'il détacha ses yeux de l'album. Le vieil homme s'entretenait avec Toa dans sa langue et semblait lui donner des instructions fort détaillées. Toa acquiesçait.

— Viens, dit enfin celui-ci à Tommy. Il faut monter dans la colline et cueillir les plantes nécessaires pour la soigner.

— Bien sûr, dit Tommy en tendant l'album au vieillard. Je viens tout de suite.

Il s'approcha un instant du lit où était étendue Molly. Elle semblait endormie. Maara lui tenait la main.

— Merci de t'occuper d'elle, murmura Tommy.

Pendant que Tommy était au chevet de la jeune fille, Toa s'était glissé dehors et avait emprunté le sentier à côté de la maison. Accroupi, il parlait à une ombre dissimulée derrière un rideau de feuillages.

— Alors? Qu'est-ce que tu suggères?

Un rayon de soleil alluma un instant un éclair blanc entre les feuilles vertes. L'ombre se déplaça.

— Attendons de voir s'il est un ami sincère, murmura une voix.

Toa se mit à chanter et, sans ajouter un mot, il rebroussa chemin vers la maison où il retrouva Tommy qui regardait autour de lui avec inquiétude. Sans escamoter une seul note, le garçon fit signe à Tommy de le suivre, sans cesser de chanter. Ils traversèrent la place du petit village où régnait une fébrile activité, puis Toa s'engagea sur le sentier tortueux qui menait à la colline. Plus ils avançaient, plus la pente était raide. Tommy avait peine à suivre son guide qui grimpait sans arrêt, le pied ferme comme une chèvre de montagne. Alors qu'il peinait, s'accrochant ici à une branche, là à une fougère, il aperçut à deux mètres plus haut, confortablement assis sur le bord d'un rocher, trois frimousses rieuses qui observaient ses efforts. Faisant contre mauvaise fortune bon cœur, Tommy en profita un instant pour reprendre son souffle.

— Bonjour les enfants, cria-t-il en levant la main — mais c'était justement celle qui l'aidait à se retenir!

Il faillit dévaler la pente sous le regard amusé des enfants. Il sourit et reprit sa route... mais Yoa avait disparu! Où donc était-il passé? Le chant s'était tu, et la tête bouclée du garçon n'était nulle part en vue.

Tommy lança un regard inquisiteur vers les trois petits spectateurs assis sur le rocher. Ils s'étaient eux aussi envolés! Le cœur battant, il reprit son ascension.

Soudain, un éclair blanc brilla derrière un arbre, à cent pas de lui. Un animal? Il regarda tout autour, aux aguets. Rien! Il grimpa encore sur une courte distance, puis tout à coup, au-dessus de sa tête, il vit une ombre agile qui sautait d'une branche à une autre.

— Toa? C'est toi? demanda-t-il de

plus en plus inconfortable.

Silence! Il avait la pénible sensation d'être suivi, épié. Il avança encore, puis il entendit un chant familier. Avec un soupir de soulagement, Tommy accéléra sa course comme si quelqu'un venait de lui poser des ailes.

Le garçon à la peau cuivrée s'était arrêté sur une pointe du rocher. D'un geste, il montra l'épaisse forêt devant eux, les troncs tordus, enchevêtrés de lianes tendues entre les branches comme autant de fragiles ponts suspendus.

— C'est la forêt vierge. C'est magnifique, non?

Il ne laissa pas à Tommy le loisir de répondre, surtout que celui-ci n'était pas en condition pour le faire. Pendant qu'il tentait désespément de reprendre son souffle, Toa enchaîna :

— Les plantes curatives sont par là, viens.

Ils firent quelques pas vers un arbre immense, au pied duquel de jeunes pousses d'un vert éclatant semblaient luire dans l'ombre, comme des lucioles.

Tout autour, imbriquées, enchevêtrées dans les plantes vertes, de délicates fleurs mauves poussaient presque timidement.

— C'est celle-là, dit Toa en montrant une

plante vigoureuse aux feuilles pointues.

Tommy avança la main vers la plante.

— Non, ne touche pas! cria une voix derrière lui, c'est très dangereux!

Il reconnut les trois bambins qu'il avait salués quelques instants plus tôt. Étonné, il interrogea Toa.

— C'est vrai ce que dit le gamin?

Toa sourit, décontracté.

— Oui et non, dit-il, seules les fleurs mauves sont mortelles... Si tu les touches.

Tommy sentit son estomac se serrer.

— Tu te payes ma tête, non?

— Pas du tout, assura très sérieusement Toa, c'est tout à fait vrai.

Saisi, Tommy recula de trois pas, et il aperçut alors, à proximité de l'arbre, une fosse peu profonde qui contenait un amoncellement de crânes et d'ossements. Il refoula à peine un haut le cœur, et ses joues prirent aussitôt la couleur mauve des délicates fleurs mortelles. Il porta la main à sa bouche pour ne pas vomir.

— Et tu ne disais rien?

Le garçon haussa les épaules.

— Ben alors, cueille-la toi-même, explosa Tommy.

— C'est «ton» amie, répondit Toa d'un ton neutre, c'est à toi de la sauver.

Au pied de l'arbre, sous les yeux de

Tommy, les couleurs viraient à l'arc-en-ciel. Le vert et le mauve s'entremêlaient, tournaient au jaune. Des taches rouges dansaient, s'accrochaient aux feuilles, ricochaient sur les crânes et devenaient papillons noirs qui lui brouillaient la vue. Tommy recula, se frotta les yeux.

— C'est «ton» amie, répliqua doucement Toa.

Sa voix chantante se confondit au bruit de la source qui dévalait là-haut sur les pierres. Tommy leva la tête et crut encore une fois apercevoir une ombre mouvante à travers le feuillage d'un arbre. Il frissonna.

— Bon d'accord, bredouilla-t-il, en tentant désespérément de rassembler son courage.

À cet instant précis, il faut bien l'avouer, Tommy était beaucoup plus motivé par le désir de fuir cette situation inconfortable que par le souci du bien-être de Molly! Il avala sa salive et s'approcha de l'arbre. Avec d'infinies précautions, il contourna le massif de plantes et s'adossa au tronc noir, en équilibre sur une jambe. Sa main s'avança vers la plante qu'avait désignée Toa, mais comme s'il avait touché un charbon ardent, il la retira aussitôt. Il chancela. Manifestement, jamais il n'allait réussir à l'arracher d'une main. Appuyé sur l'arbre, il s'accroupit sur ses talons en évitant soigneusement d'effleurer de son genou l'une des perfides petites fleurs mauves. Ses dix doigts entourèrent la plante et il tira. Miracle! Il la tenait enfin! Il poussa un cri.

— Je l'ai!

Toa sourit. Tommy sauta d'un bond agile par-dessus le massif fleuri qui l'entourait comme s'il avait soudainement eu des ailes. Il ne vit pas, cette fois, la silhouette qui se profilait sur une haute branche de l'arbre voisin. Il dévalait la pente sous l'œil amusé de Toa.

— Je l'ai eue! cria-t-il en brandissant la plante magique.

Les garçons rentrèrent au village en dix fois moins de temps qu'ils n'avaient mis pour grimper sur la colline. Tommy avait retrouvé toute sa vitalité. C'est le chant mélodieux d'une chorale qui les accueillit.

Dans l'école, sur la place du village, un groupe répétait les chants de la noce qui se déroulerait demain. Tommy s'arrêta, subjugué. Les voix étaient belles, rondes, puissantes. Toa le tira par la manche.

— Viens, nous devons rentrer, la plante va se flétrir.

Tommy se préparait à le suivre, lorsque deux jeunes surgirent de l'école en courant avec des albums de timbres dans les mains.

— Eh! tu as vu? s'écria Tommy, ils ont des timbres. Sûrement des timbres d'ici... Attends-moi, il me faut absolument des timbres des îles Cook.

Toa soupira, au désespoir :

— Tommy, la plante perd de sa force...

Hélas! Tommy aussi perdait ses forces. Il considérait sans doute que l'effort surhumain qu'il venait de fournir, simplement pour cueillir la plante, valait bien une petite récompense... D'autant plus que les deux jeunes se dirigeaient vers un attroupement que Tommy venait d'apercevoir sur la place du village : de toute évidence c'était une rencontre de philatélistes! Quelques dizaines d'enfants, tous avec un album en main. C'en était plus que Tommy pouvait supporter, le sacrifice était décidément trop grand. Il tendit à Toa la plante miracle qu'il avait toujours en main.

— Vas-y tout de suite, je te rejoins dans un instant. Promis!

Avec un sourire contrit, mais aussi une lueur de passion dans le regard, il courut vers le groupe d'enfants qui déjà avaient bruyamment commencé leurs échanges de timbres en se bousculant. Il profita de la confusion pour se mêler au groupe et jeter un coup d'œil sur les albums ouverts. Des centaines de timbres magnifiques! Des poissons, des oiseaux, des fleurs... Tommy ne savait plus où donner de la tête. Il s'approcha d'une fillette dont l'album était particulièrement imposant.

— Tout ça, ce sont des timbres des îles Cook? demanda-t-il émerveillé. Mais c'est extraordinaire, je peux voir?

— Bien sûr, répondit-elle gentiment en tournant les pages.

Les yeux écarquillés, Tommy essayait de tout absorber en même temps. Mais lesquels choisir? Si encore elle acceptait d'en échanger avec lui. Tiens, les fameux crabes des cocotiers! Inconsciemment, il repoussa le souvenir des cocos qui s'étaient si étrangement abattus sur eux à leur arrivée sur l'île avec Toa... La fillette tourna une autre page et Tommy faillit s'étouffer.

— Des «Bluenose»! Incroyable! Vous avez des «Bluenose»?

Autour d'eux, les enfants avaient ralenti leurs échanges, surpris par le cri enthousiaste du jeune étranger.

— Des «Bluenose», répéta Tommy, c'est impossible...

— Ils viennent du missionnaire qui habitait à côté de l'église, là-haut. Il en a reçu beaucoup du Canada, jadis.

— C'est fabuleux, cria Tommy.

— Tu en veux?

Tommy était littéralement frappé de stupeur. Comme ça? On lui offrait des «BLUENOSE»? Juste comme ça!

La fillette qui ne comprenait pas très bien son agitation, semblait plutôt amusée.

— Tu échangerais des «Bluenose» avec moi? risqua-t-il, sidéré.

— Bien sûr qu'on peut échanger les timbres, dit-elle, ou même, je te les donne si tu veux.

Il avait fait glisser de son dos son inséparable sac et déballait une poignée de timbres.

— Regarde, j'ai de beaux dinosaures! Ils sont à toi!

— D'accord, dit la fillette en riant. Tiens, voici mes «Bluenose», continua-t-elle en versant sur l'album de Tommy tout le contenu de sa page.

— Eh! les amis, cria-t-elle à la ronde, ce garçon veut des «Bluenose»!

La réaction fut si vive que Tommy n'eut pas le temps de réaliser ce qui se passait. Des poignées de «Bluenose» tombaient sur son album ouvert : il y en avait des dizaines littéralement!

— Merci, merci, suffoquait Tommy. Merci beaucoup. C'est fabuleux! C'est génial! Oh! merci mille fois.

Entouré d'une bande d'enfants rieurs pour qui la distribution des «Bluenose» au garçon étranger était devenue un jeu, Tommy s'arrêta, soudain mal à l'aise.

— Je... je ne peux pas accepter ça, je n'ai pas assez de timbres pour vous les échanger.

La fillette eut un geste d'insouciance.

— Oh! t'en fais pas, ils ont très peu de valeur ici. Ça te rend heureux? Bon alors, tant mieux!

— Heureux? cria Tommy soulagé. Et comment donc! J'ai une fortune!

Absorbé dans la contemplation de son trésor, Tommy s'aperçut à peine que les enfants s'étaient dispersés comme un essaim d'abeilles. Il regarda autour de lui, la place était vide et pourtant des cris, des chants, des exclamations diffuses annonçaient quelque part une activité fébrile. Il enfouit prestement les précieux timbres dans son sac. Mais où aller? Dans quelle direction? Les bruits semblaient venir de tous les côtés à la fois. Confus, Tommy leva les yeux vers le sommet de la montagne. Une ombre se déplaça dans le feuillage. Un éclair blanc s'alluma.

— Molly!

Il traversa la place en courant, contourna l'école, arriva dans un champ où des hommes s'activaient bruyamment autour d'une fosse recouverte de palmes. C'est là qu'on faisait cuire le cochon pour la fête, mais Tommy cherchait la maison de Papa Rangi.

Des rires, des sons, des tam-tam.

— Eh Tommy! Où vas-tu comme ça?

Il devina plus qu'il ne reconnut la voix de Maara, mais il ne prit pas le temps de s'arrêter pour répondre, il venait d'apercevoir la maison blanche au fond d'un sentier. En trois enjambées, il fut sur la véranda, le précieux sac toujours serré contre sa poitrine. Il allait s'élancer par la porte grande ouverte lorsqu'il se ravisa. Son sac!

Si à ce moment-là quelqu'un lui avait demandé pourquoi il dissimulait son sac, Tommy n'aurait probablement pas su l'expliquer, mais son instinct l'y poussait : Pourtant, il ne s'en séparait jamais, il le gardait toujours collé au dos. Alors, pourquoi maintenant? Il chercha des yeux une cachette et ne trouva rien de mieux que le vieux banc à couvercle, adossé au mur de la maison. Il y déposa son trésor, puis entra doucement, sur la pointe des pieds, embarrassé soudain de la façon cavalière dont il avait confié à Toa la plante miracle qu'il avait lui-même cueillie au péril de sa vie. La pièce était vide. Qu'était-il arrivé à Molly? Au fond, des rideaux étaient tirés. Tommy s'approcha. Un long gémissement lui glaça le sang. Molly! Il repoussa violemment le rideau.

Le spectacle qui s'offrit à ses yeux le cloua sur place. Allongée sur un lit étroit, la jeune fille était couverte, de la tête aux pieds, d'une gluante pâte verte que Toa finissait d'appliquer. Une naïade tombée dans la fange d'un marais! L'espace d'un instant, les traits de

Nancy se superposèrent à ceux de Molly sous les yeux stupéfaits de Tommy. Il explosa :

— Qu'est-ce que tu lui as fait?

Le plus naturellement du monde, Toa répondit sans se retourner :

— C'est la pâte que nous avons préparée avec la plante curative, celle-là même que tu as cueillie pour Molly.

Tommy crut déceler une touche d'ironie dans la voix du garçon. Était-ce seulement son imagination? Ou le vague sentiment d'être pris en faute? Comme dans un songe il entendit Toa qui ajoutait :

— Et maintenant nous avons besoin de tes timbres les plus précieux...

«Des timbres? pensa confusément Tommy. Pourquoi me parle-t-il de timbres?»

Sûrement son obsession le rendait victime d'hallucinations? Quelqu'un se moquait de lui. Des ombres et des reflets blancs qui fuient sous ses yeux dans la verdure, une plante miracle qu'on lui fait cueillir au milieu de fleurs meurtrières, et tous ces «Bluenose» qu'on a fait pleuvoir dans ses mains! Il rêvait sans doute. Cette forme visqueuse allongée devant lui ne pouvait être Molly!

Dehors, à la limite du village, l'animation allait croissant. Les chants et les sons des tam-tam montaient, arrivaient vaguement jusqu'à lui. Il sentit le regard insistant de Toa.

— Des timbres? bredouilla-t-il. Je n'ai pas de timbres précieux...

— Tu es bien sûr?

— Naturellement...

Les mains dégoulinantes, Toa étalait ici et là, des coulées de pâte verdâtre sur le corps de Molly.

— Il faut maintenant la couvrir entièrement de timbres, c'est la seule façon de la sauver, expliqua-t-il.

Les sons rythmés de la musique se rapprochaient. Tommy sembla revenir à la réalité :

— Tu es fou? Tu veux la couvrir de timbres? La transformer en momie?

— Cette cure a déjà réussi, dit tranquillement Toa.

— Réussi? Mais comment réussi? Pour qui?

— Pour une personne qui avait vieilli, comme Molly. C'est exactement comme ça que nous l'avons guérie, avec des timbres que nous avons appliqués à même la pâte magique de Papa Rangi.

Dehors, des cris de joie fusaient de partout. Une imposante procession faisait son entrée sur la place du village, et les enfants gambadaient autour des hommes en habits d'apparat qui portaient haut sur leurs épaules la pièce de résistance de la noce : un magnifique cochon de lait, cuit à point dans un trou plein de boue et recouvert des feuilles de palmiers que Tommy avait aperçues de loin, un peu plus tôt.

— Et qui est cette personne que vous avez guérie? demanda Tommy.

— Ça n'a aucune importance, répondit Toa, agacé. Tu les donnes tes timbres précieux, oui ou non?

Les chants s'élevaient, s'amplifiaient.

— Toa! cria une voix de l'extérieur.

Le garçon observait le visage de Tommy où défilaient une gamme d'émotions douloureuses à faire pleurer les pierres. Sacrifier sa toute nouvelle fortune? Et pourtant, il avait risqué sa vie pour trouver la plante curative, pourquoi lui en demander encore davantage? C'était injuste, à la fin.

— Toa! cria la voix impatiente de Maara qui venait de passer la tête à la fenêtre. Qu'est-ce que tu fais? On n'attend plus que toi pour commencer la cérémonie.

— J'arrive, dit Toa en adressant un geste d'impuissance à Tommy.

Il se dirigea vers la porte. Impulsivement, Tommy fit un geste pour le retenir, mais il se ravisa aussitôt. La révolte grondait en lui. Il regarda Molly allongée dans son enveloppe verte puis Toa qui sortait, un vague sourire accroché aux lèvres. Révolté, Tommy cria :

— Et même si j'en avais des timbres précieux, ça ne marcherait pas! C'est une idée totalement absurde, du pur gaspillage!

Tommy sursauta lorsqu'il entendit le rire de Papa Rangi au fond de la pièce. Assis dans son fauteuil de rotin, le vieil homme avait observé la scène depuis le début, à l'insu de Tommy. Un album de timbres ouvert sur ses genoux, il faisait couler les petits carrés de papier entre ses doigts noueux comme s'il égrenait des grains de chapelet. Tommy crut devenir fou. Il se tourna vers le vieillard, en nage, la voix éraillée par la fureur.

— Pourquoi vous ne cessez-vous de prétendre que j'ai des timbres? C'est faux, vous m'entendez?

— Hum!... marmonna Papa Rangi.

Comme un animal en cage, Tommy tournait autour de Molly toujours étendue et aussi immobile qu'une statue de marbre. Soudain, il se précipita vers elle et lui chuchota à l'oreille :

— Tiens bon, Molly, je vais trouver

une boîte aux lettres et nous serons bientôt partis d'ici sur un timbre.

Il évita soigneusement de regarder dans la direction du vieil homme qui n'avait pas prononcé une parole. Il se rua sur le sentier qui menait à la place du village, mais il avait oublié la noce!

Sur une grande estrade recouverte d'un auvent, on avait dressé la table. Des guirlandes de fleurs aux couleurs vives et aux parfums capiteux ornaient la nappe blanche et pendaient du toit comme autant de colonnettes odorantes. Les enfants couraient, s'interpelaient à hauts cris sur la place, et les filles lissaient leurs jupes de paille aux tons éclatants en ajustant les couronnes fleuries qui leur couvraient la tête. Une noce au village était toujours un grand événement, mais hélas! Tommy n'était pas dans les meilleures dispositions pour en profiter. Il s'arrêta net en voyant la joyeuse animation autour de lui. Le moment était plutôt mal choisi pour demander l'emplacement de la boîte aux lettres.

— Je finirai bien par trouver tout seul, marmonna-t-il en rebroussant chemin. Si je coupe à travers le bois en contournant le village, normalement je devrais...

Il venait à peine de s'engager sur une

pente abrupte derrière la maison de Papa Rangi, lorsqu'une silhouette glissa agilement d'une branche et retomba sur ses pieds à deux pas devant lui. Il étouffa un cri. Un petit bonhomme à la chevelure aussi blanche qu'un clair de lune se dressait devant lui, les deux poings serrés sur ses hanches. Ses yeux noirs transperçaient Tommy comme un dard. Le choc de la surprise faillit lui faire perdre l'équilibre.

— D'où sors-tu...

Le garçon lui coupa la parole. Sa voix était claire et nette. Tranchée.

— Tu dois donner les timbres!

Encore? Mais pourquoi donc tout le monde s'acharnait-il à lui arracher un pauvre trésor qu'une chance inespérée avait mis entre ses mains? D'où sortait cet huberlulu qui se mêlait de lui donner des ordres? Tommy était furieux. Il ironisa.

— Et à qui, je vous prie, dois-je avoir l'honneur de donner mes timbres?

Imperturbable, le garçon blond répondit.

— À moi... Charles!

La stupeur se peignit un moment sur le visage de Tommy, mais très rapidement elle fit place à l'incrédulité. Tommy toisa l'intrus d'un air railleur.

— Oh! Charles, dis-tu? Vraiment! C'est impossible. C'est un coup monté, tu es beaucoup trop jeune pour être Charles.

En contrebas sur la place du village, la fièvre de la fête montait. La grande table fleurie croulait sous les victuailles, au centre desquelles trônait le majestueux cochon, une fleur rouge écarlate à l'oreille. Le rythme des tam-tam s'accentuait. Tommy nota distraitement l'effervescence.

— Tu dois absolument sacrifier ces timbres, insista le garçon sans hausser le ton d'un dièse.

Dans les oreilles de Tommy, la voix calme et résolue du garçon tonna plus que tous les tam-tam réunis. Il sentit qu'il perdait pied. Il cria d'un ton accusateur.

— Tu n'es pas Charles! Il aimait sa sœur. Jamais il ne l'aurait laissée vieillir sur un timbre pendant soixante ans. Il se serait montré depuis longtemps.

Le garçon blond baissa la tête.

— Je n'y pouvais rien, dit-il. Seul un vrai ami peut la guérir.

— Et alors? En quoi ça me concerne? protesta Tommy.

— Eh bien, on avait cru que... Enfin, nous avions espéré que c'était toi... Je vois que nous nous sommes trompés.

Charles regardait Tommy, dont le

visage sembla, l'espace d'un instant devenir le vivant reflet de la bataille qu'il se livrait avec lui-même. Ses traits étaient défaits, il était livide.

— Tais-toi! souffla Tommy, les dents serrées.

Charles recula. Il avala, en retenant ses larmes. De ses yeux perçants, il fixait Tommy comme s'il essayait de déchiffrer le drame qui se déroulait dans sa tête. Tommy serrait les poings, se balançait d'un pied sur l'autre. À tout prix, il cherchait à éviter le regard inquisiteur du garçon. Le silence durait, emmurait les deux garçons dans un monde où plus personne d'autre ne pouvait désormais pénétrer, un silence d'autant plus étrange qu'il était cerné par les joyeux cris de la fête — qu'ils n'entendaient plus... L'épreuve de force qu'ils se livraient les isolait du monde entier. Le garçon blond fut le premier à rompre le charme maléfique. Il demanda, dans un murmure :

— As-tu déjà éprouvé une vraie amitié pour quelqu'un au monde?

Si le ciel s'était déchiré en deux devant ses yeux, Tommy n'aurait pas réagi plus violemment :

— La ferme! hurla-t-il en décochant un coup de pied qui fit voler une my-riade de cailloux autour d'eux.

Son cri se mêla à ceux de la foule en liesse. Le garçon blond resta cloué sur place, tandis que Tommy dévalait la pente comme s'il avait le diable à ses trousses. Rien ne pouvait laisser prévoir la direction qu'il prendrait. Le savait-il seulement lui-même? Il courait, droit devant lui, sans rien voir ni entendre.

Lorsqu'il fit irruption dans la pièce où gisait Molly, Papa Rangi ne leva même pas la tête. Il n'avait pas bougé de son fauteuil, et sur ses genoux, les timbres glissaient toujours entre ses doigts noueux.

— Papa Rangi? cria Tommy.

Son sac avait glissé de ses épaules. Comme mû par un ressort mécanique, Tommy y plongea les mains et en retira l'album. D'un geste qui ressemblait à une offrande, il le tendit au vieil homme en murmurant :

— Voici mes timbres, Papa Rangi.

Les yeux pétillants du vieil homme riaient.

— Mets-les avec les miens, dit-il doucement.

— Êtes-vous bien sûr qu'il le faut? implora Tommy. C'est tout ce que je possède et je ne suis pas...

— ... un vrai ami? interrompit une voix derrière lui.

Comme par enchantement, le garçon blond venait d'apparaître à nouveau. Il s'approcha de Tommy et lui mit la main sur l'épaule.

— Et si nous étions tous deux les meilleurs amis de Molly, hein Tommy? Si ensemble nous voulions la couvrir avec les timbres, nous ne pourrions pas nous tromper, n'est-ce pas? Qu'est-ce que tu en dis, Tommy?

Tommy regarda longuement la tête presque blanche du visiteur, puis les cheveux de Molly qui semblait assoupie dans son enveloppe verte.

163

— Tu es vraiment Charles? demanda-t-il enfin.

— Oui, je te le jure.

— Comment se fait-il que tu sois si jeune, alors? Charles est un vieillard, comme Molly...

D'un même geste, ils se tournèrent vers le petit visage que les rides avaient creusé. Les yeux de Tommy glissaient de la peau lisse et rose de Charles à celle de Molly, terne et plissée.

— J'ai été vieux aussi, exactement comme elle...

Tommy commençait à comprendre.

— Oh! Alors tu étais parti à sa recherche sur un timbre?

— Exactement.

— Et tu t'es retrouvé dans un album de collectionneur, comme elle!

— C'est ça.

Tout s'éclairait. Tommy regardait le frère et la sœur que des années de distance séparaient maintenant. Tous deux prisonniers d'un timbre, leurs vies s'étaient figées jadis, et voilà qu'ils se retrouvaient enfin, mais c'était au moment où Molly vieillissait à vue d'œil alors que son frère, lui, avait retrouvé sa jeunesse.

— Et tu as rajeuni grâce à Toa et à Papa Rangi? Avec des timbres?

Charles fit signe que oui.

Pendant que les garçons parlaient, Papa Rangi s'était approché de Molly, avec son album débordant des timbres de Tommy mélangés aux siens. De sa vieille main tremblante, il avait commencé à poser systématiquement les timbres colorés sur le corps immobile de la vieille jeune fille. Charles et Tommy s'avancèrent et plongèrent en même temps une main dans l'amas de timbres de Papa Rangi. Sous leurs doigts agiles, le corps entier de Molly se transformait en une mosaïque multicolore. Les oiseaux, les fleurs exotiques, les poissons rayés, les têtes de rois célèbres, les dinosaures, les papillons mordorés, les athlètes et les «Bluenose» se croisaient, s'entremêlaient,

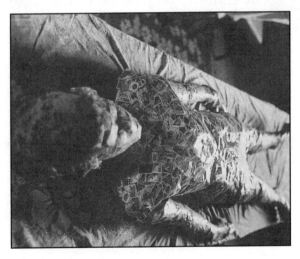

créaient des tableaux miniatures sans cesse en mouvement qui se faisaient et se défaisaient au gré de la fantaisie des doigts qui les disposaient sur le corps figé comme une statue.

Du dehors leur parvenaient des rires, des chants, des mélodies qui ponctuaient leurs gestes. Comme des petits danseurs sur le corps de Molly, leurs doigts se joignaient à la fête.

Tout le temps que dura l'application des timbres, ils n'échangèrent pas une parole. Tommy posait maintenant sur le visage ridé les carrés de couleurs qui se fondaient dans une douce harmonie. Il ne sut jamais à quel moment les autres s'étaient retirés, ni comment il s'était endormi au pied de la sculpture vivante qu'ils venaient de créer.

Devant ses yeux clos, des traits de femmes se dessinaient, se transformaient, s'imprimaient sur des timbres géants qui faisaient la ronde autour de lui. Tantôt blondes, tantôt brunes, jeunes, vieilles, puis jeunes encore, les têtes de femmes se multipliaient en une procession sans fin. Tout tournait, tout basculait. Soudain, les visages se muèrent en voix lointaines, indistinctes, celles de Molly, de Charles, de Nancy, la sienne : «Tu connais mon frère Charles?...

— Je voudrais être ton ami... — Qu'est-ce que tu lui as fait?... — As-tu déjà eu de l'amitié pour quelqu'un au monde?...»

Les voix, les visages, les mots, le son des tam-tam, la fléchette magique qui venait vers lui... Sur lui!... Tommy s'éveilla en hurlant.

Un rayon de soleil rougeoyant frappa le drap blanc où luisait une légère rayure verte. Le lit était vide, Molly avait disparu! Tommy sortit de la maison en courant.

— Molly! Molly!

L'animation était à son paroxysme sur la place du village. Tommy se faufila parmi les invités de la noce, insensible aux sons, aux odeurs, aux couleurs. Sous l'auvent rayé, les mariés étaient assis à la table du banquet.

— Molly! Où es-tu?

Il vit soudain Maara qui venait à sa rencontre en tenant par la main une jeune fille coiffée d'une couronne de fleurs. Sa jupe vaporeuse ondulait sur ses jambes comme des ailes de papillon.

— Bonjour, Tommy...

Il écarquilla les yeux, ne sachant trop s'il devait rire ou pleurer.

— C'est toi Molly? Les timbres... c'était vrai!

Maara éclata de rire.

— Il était temps que tu arrives, dis donc! Le cochon rôti est presque disparu! Allez, viens manger, le spectacle va bientôt commencer.

Puis elle ajouta à l'intention de Molly :

— Quelqu'un va danser spécialement pour toi.

— Vraiment? Qui donc?

— Oh! ça, c'est un secret.

— C'est Toa?

— Pas du tout, dit Maara avec un sourire taquin. Tu verras.

Sur l'estrade, un peu en retrait de la table du banquet, un vaste espace avait été réservé pour l'orchestre. Un groupe de musiciens en costumes traditionnels interprétait la joyeuse musique des îles Cook aux sons des flûtes de bambou et des tam-tam. Un groupe de danseurs avaient pris place, et leurs pieds exécutaient déjà les mouvements souples et enlevés des danses rituelles.

Maara s'était installée sur l'herbe avec ses amis, bien en face de l'estrade des danseurs. Ses yeux pétillaient d'impatience alors qu'elle guettait sur le visage de Molly l'expression de surprise qui n'allait pas tarder dès l'apparition du danseur mystérieux.

Fascinée, Molly regardait le spectacle

exubérant qui se déroulait sous ses yeux. Soudain, comme s'il était venu de nulle part, un garçon aux cheveux platines, pieds nus, vêtu de la traditionnelle jupe de paille, sauta au milieu de la scène. Les danseurs s'écartèrent aussitôt pour lui faire place. Dès que son pied toucha le sol, il se transforma en étoile filante, en comète, en cyclone. Son corps léger et souple ne faisait qu'un avec les sons endiablés des musiciens. La couronne de feuilles de laurier tressées sur sa tête lui donnait l'air d'un petit dieu. Les spectateurs criaient, frappaient des mains, accompagnaient de leurs chants le rythme du danseur.

Le visage de Molly s'était figé dès l'instant où le garçon blond était apparu sur la scène. L'émoi se mélangeait à la stupéfaction.

— Charles? s'exclama-t-elle, incrédule.

Elle se tourna vers Maara et lui prit la main comme pour s'assurer qu'elle ne rêvait pas, qu'elle n'était pas victime d'une hallucination.

— Charles est ici? C'est vrai?

«Tu vois bien», semblait dire le sourire rassurant de Maara.

Molly vola, plus qu'elle ne courut, vers l'estrade où dansait son frère. Elle l'attrapa dans ses bras et le souleva littéralement de terre. Ce n'était plus une danse des îles accompagnée par des les musiciens mais une ronde folle qui entraînait le frère et la sœur dans un éblouissant tourbillon où s'entremêlaient les fleurs des couronnes, les couleurs des costumes, les cris, les rires et les pleurs, aussi bien les leurs que ceux des invités de la noce.

Tommy s'était approché de l'estrade. Il va sans dire que l'apparition de Charles ne l'avait pas surpris, mais par contre l'époustouflante agilité du jeune danseur l'avait estomaqué. Quoi? Son nouvel ami avait donc aussi ce don des

dieux? Il observait avec ravissement le visage heureux de Molly qui venait de libérer Charles de sa joyeuse étreinte et tentait vainement de reprendre son souffle. Elle aperçut Tommy et vint vers lui, haletante.

— Regarde Tommy, c'est Charles! C'est mon frère Charles!

Elle ne vit pas le sourire complice qu'échangèrent les deux garçons.

— Je sais, dit doucement Tommy. Je l'ai rencontré pendant que tu dormais sous les timbres...

Charles éclata de rire devant l'air médusé de sa sœur!

* * *

Le soir était venu et les émotions de la journée avaient totalement épuisé Tommy. Pourtant, à cet instant précis, il ne ressentait ni faim, ni froid, ni fatigue. Il était euphorique. Il signalait un numéro de téléphone. Une faible voix à l'autre bout du monde lui répondit :

— Oui?

— Je te réveille? questionna Tommy.

C'est à Nancy qu'il voulait d'abord et avant tout annoncer la bonne nouvelle. À Nancy qui lui avait remis la serviette de Charles et lui avait souri.

— Qui parle? demanda la voix lointaine.

Il y eut sur la ligne un long grésillement qui ressemblait au crépitement des pommes de terre dans la friture.

La sonnerie du téléphone avait brusquement tiré Nancy de son sommeil. Elle avait décroché mécaniquement dans le noir, sans même s'en rendre compte. Mais cette voix qui semblait venir d'un autre monde, ces sons bizarres et mystérieux réussirent vite à l'éveiller tout à fait.

— Qui est à l'appareil? répéta-t-elle en élevant la voix.

Sur les entrefaites Ralph, alerté par la sonnerie, surgissait dans la chambre, et il trouva sa sœur assise sur le bord de son lit. Il perçut aussitôt les bruits aigus qui mitraillaient l'oreille de Nancy.

— Raccroche, dit-il, tu vois bien qu'on te fait une blague.

Elle lui fit un signe impérieux de se taire. Des mots distincts lui parvenaient, bien détachés comme le tac tac d'un télégraphe : «Là-où-la-fléchette-se-posera-tu-me-trouveras.»

— Tommy! s'écria Nancy en lançant à Ralph, un regard triomphant. Où es-tu?

L'excitation gagna Ralph qui approcha son oreille du récepteur en criant :

— Es-tu à Londres?

De nouveau, Nancy lui intima l'ordre de se taire.

— Attends une seconde, Nancy, disait la voix de Tommy à l'autre bout, quelqu'un veut te parler...

De nouveau, le grésillement. Elle eut peur qu'on ait coupé la communication.

— Allô? Allô? disait une voix qui n'était plus celle de Tommy... C'est moi, Molly!

— Molly! C'est vraiment toi? Comment vas-tu?

— À merveille! Tu ne peux pas imaginer la chose merveilleuse qui m'est arrivée. Je suis folle de joie.

— Qu'est-ce qui s'est passé, Molly? Tu es guérie?

— Oui, et nous avons retrouvé Charles!

Nancy faillit échapper l'appareil. Incrédules, elle et Ralph s'exclamèrent en même temps :

— À Londres?

Un long éclat de rire résonna dans l'appareil.

— Non, aux îles Cook... à Roratonga. Tu sais où c'est? Charles est jeune, il est beau, c'est merveilleux!

C'était au tour de Nancy de ne plus savoir si elle devait rire ou pleurer. En une magique seconde qui lui sembla magique, elle revit comme dans un film les événements qui avaient mené à cette incroyable nouvelle. Elle hésita un moment, regarda Ralph en coin, timidement, et sa voix se cassa un peu lorsqu'elle demanda.

— Tommy t'a aidée?

L'élan et l'enthousiasme de la réponse de Molly ne laissèrent planer aucun doute :

— Sans lui, jamais je n'y serais arrivée! Dis, tu sais qu'il t'aime bien?

Heureusement que ni elle, ni Tommy ne pouvaient voir les joues de Nancy qui s'empourpraient comme deux pivoines au printemps. Elle tourna le dos à Ralph qui, médusé, ne comprenait rien au silence subit de sa sœur.

— Je peux lui parler? demanda-t-il en

tirant la manche de Nancy.

Pour toute réponse, il l'entendit prononcer :

— Tommy, tu... tu me manques, tu sais.

Ralph faillit avaler la mouche qui passait par là. Décidément, la vie était très, très compliquée! Mais peut-être qu'au contraire, Tommy venait de découvrir qu'elle pouvait aussi être fort belle. Il répondit avec un enthousiasme qui fit frémir Nancy :

— Et tu me manques aussi... beaucoup!

Encore un silence inquiétant... Ralph piétinait d'impatience...

— Tu reviens bientôt?

— Oh oui, très bientôt...

Un peu d'action, de grâce! N'y tenant plus, Ralph tira le récepteur des mains de sa sœur.

— Et tu reviens en fléchette ou par timbre?

Tommy éclata de rire.

— Ni l'un ni l'autre! Salut, à bientôt.

Ralph resta pantois, le téléphone à la main, silencieux.

* * *

Le ciel au-dessus des îles Cook était particulièrement radieux ce matin-là, et la mer d'un calme rare. Les vagues faisaient à peine frissonner l'immense nappe d'eau turquoise qui caressait le sable blanc de la plage où Tommy était descendu il y avait quelques jours à peine.

Ils étaient tous là depuis l'aube, Tommy, Charles et sa sœur, Toa, Maara et plusieurs de leurs amis, et leur animation débridée perturbait le calme de la plage endormie. Le soleil commençait à peine à percer la lueur rose de l'aurore qui glissait et s'entremêlait au bleu-vert de la mer, telle une peinture en mouvement, un tableau en perpétuel devenir.

Palmes aux pieds et masque de plongée solidement fixés au visage, Tommy et Toa ondulaient sous l'eau claire au milieu des bancs de poissons multicolores. Les câbles de plastique jaune qu'ils tiraient, flottaient derrière eux comme de longs serpents sinueux. Ils nageaient vers une masse blanche que leurs yeux distinguaient mal à travers les ondes.

Au-dessus de leurs têtes, de temps à autre un bateau interceptait les rayons du soleil et ils percevaient le doux ronron d'un moteur qui tournait doucement, comme s'il retenait son souffle. La masse blanche prenait forme sur le fond marin, semblable à un grand oiseau déployant ses ailes.

Tommy fut le premier rendu à l'avion qu'il avait repéré le jour de son arrivée. Il leva le bras en un geste triomphant en direction de Toa qui le suivait à deux brasses derrière. Par le hublot, Tommy pénétra dans la carlingue et, pour la deuxième fois, il vint perturber l'occupante des lieux : la pieuvre! Comme si elle avait pressenti que l'intrus allait bientôt l'évincer de sa demeure, elle s'agrippa, enroula ses longs tentacules autour du volant de l'appareil submergé.

Dans ces profondeurs du silence, Tommy lui présenta ses excuses et se mit à décrocher les ventouses, une à une. Étrangement, la pauvre pieuvre n'opposa aucune résistance aux doigts de Tommy comme si elle avait compris d'instinct que la bataille était perdue d'avance... Son habitat était désormais celui de Tommy.

Toa avait déjà fixé le câble à l'une des roues enlisée à même les fonds marins lorsque Tommy le rejoignit, pieuvre en mains. Ils échangèrent un sourire, et Toa fit un geste d'adieu au monstre que Tommy venait de déposer au fond de la mer. Les doigts des garçons s'affairèrent sur les cables, et bientôt l'oiseau blanc prit l'aspect d'une grande baleine que des pêcheurs auraient ligotée dans leurs filets.

Puis, Tommy nagea vers le hublot et se hissa à l'intérieur de l'appareil. Sous l'œil vigilant de Toa, il prit place au volant et, tandis qu'il fixait sous son menton les courroies du casque aviateur que Charles lui avait déniché, les milliers de petits poissons dispersés par ces manœuvres reprirent progressivement leur nage synchronisée autour de l'oiseau blanc aux ailes déployées.

«Ça y est? Tu es prêt?» interrogèrent les yeux de Toa. «Je suis prêt», confirma Tommy d'un geste du pouce et de l'index réunis. Après un dernier sourire, un dernier signe de la main, Toa fendit l'eau bleue d'une vigoureuse poussée de ses palmes et s'élança vers la surface de l'eau où Molly, Charles, Maara et leurs copains l'attendaient sur le bateau-moteur.

Seul dans son avion-baleine, Tommy éprouva pour la première fois un vague sentiment de panique. Il examina le tableau de bord — qu'il n'avait pas remarqué jusque-là. «Même s'ils me sortent d'ici, pensa-t-il, je le fais marcher comment cet engin?» C'est à ce moment précis qu'il sentit une légère secousse.

Lorsque Toa avait émergé des profondeurs, il avait été accueilli par trois paires d'yeux interrogateurs auxquels il répondit par un geste de victoire.

— Ça y est, l'avion est attaché, vous pouvez tirer!

Des bras l'avaient hissé dans l'embarcation et le moteur avait vrombi aussitôt.

L'espace d'un instant, les cables jaunes solidement attachés à l'arrière du bateau s'étaient raidis comme des fils d'acier. Mais le moteur cala, et les cables se remirent à onduler comme des serpents sous-marins sous l'œil d'un Tommy terrifié. Puis de nouveau, il vit les fils se raidir et monter presque à la verticale devant le nez de l'appareil qui bascula légèrement sur le côté. Une roue venait de se dégager du sable blanc! Tommy serra les doigts sur le volant et adressa une prière muette aux dieux marins. Quelques secondes plus tard, une série de mouvements saccadés secouait l'avion en tous sens, et les poissons se dispersaient comme des étincelles autour de lui. L'oiseau montait lentement, nez levé vers le ciel. Une clameur s'éleva du bateau : «Il partira sans crainte, il ne ressent aucune peur...» Tommy entendit vaguement les chants lorsque le premier hélice émerga des flots.

— Il arrive! s'exclama Molly.

— Il monte sans rien craindre... reprit le chœur.

Sous l'avion, un câble se détacha, et l'aile droite de l'appareil, qui déjà faisait surface, plongea vers la mer sous les yeux horrifiés du petit groupe. L'avion oscilla un moment, en équilibre sur les flots, puis le câble qui retenait la deuxième roue se détacha soudain et un cri de soulagement général accueillit le visage de Tommy, qui venait d'apparaître à fleur d'eau, à travers le hublot de l'appareil.

— Regardez! Ça marche! explosa Molly pendant que les hélices se mettaient à tourner de plus en plus rapidement.

— Il s'envole sans crainte, il traverse l'espace, sans rien craindre.

L'avion pointait vers le ciel, et seules les roues arrière traînaient encore un peu sur la surface des flots, qui s'écartaient pour libérer l'oiseau de métal. Appuyés au bastingage, Charles, Molly, Toa et Maara rythmaient la formule magique.

— Il vole sans crainte, oui, il fera un voyage inoubliable...

Mais ils ne virent pas le regard perplexe de Tommy lorsqu'il entendit leur incantation, ni son large geste d'adieu... Sur le pont du bateau, Molly avait saisi Charles dans ses bras et elle le faisait tournoyer comme un tourniquet en criant :

— Ça marche! Charles tu as réussi!

Après avoir un instant dangereusement piqué vers la mer, l'avion volait maintenant en douceur au-dessus des grands arbres verts et du bateau de ses amis, qui n'était plus qu'un minuscule papillon multicolore sur la mer bleue. Tommy s'enfonça bien à l'aise sur le siège de son avion monoplace.

— C'était si facile! se dit-il, retrouvant son ancienne confiance en sa bonne étoile.

Il imaginait la surprise émerveillée de Nancy lorsqu'elle le verrait rentrer à bord de son propre avion! Il se sentait comme Charles Linberg, le célèbre aviateur américain qui, le premier, avait réussi la traversée de l'Atlantique, seul à bord de son appareil. Et c'était en mille neuf cent vingt-sept, justement à l'époque où CHARLES était encore un garçon de son âge et ne s'était pas encore embarqué sur le *Bluenose*... Mais au fait, quel âge avait-il exactement lorsque le timbre l'avait emprisonné? Tommy avait oublié de le lui demander.

Le silence étrange du moteur troubla soudain les pensées de Tommy. Dans la vitre du hublot, il entrevit le reflet de son casque d'aviateur mais dans cette vitre miroir que le soleil illuminait, il vit aussi le sourire moqueur de Charles qui se dessinait sur ses propres lèvres! En un instant, les apparitions subites du garçon blond dans la forêt tropicale défilèrent devant ses yeux. Un doute envahit Tommy. Se pouvait-il qu'en la personne du mystérieux voyageur du *Bluenose*, Tommy ait finalement rencontré plus rusé que lui?

Au même moment, il sentit un picotement au bout de ses doigts, et une vive lueur jaillit de ses ongles puis monta vers ses mains, ses bras, ses épaules, comme un éclair un soir d'orage.

— Qu'est-ce qui m'arrive... s'écria Tommy, affolé.

Le tourbillon magique s'emparait de lui. Rivé à son siège, Tommy pirouettait dans son avion comme si un acrobate du ciel s'amusait à le faire valser au bout d'une ficelle. Autour de lui, la carlingue se resserrait, les ailes perdaient leur envergure, l'avion tout entier rapetissait et Tommy avec lui! Il ne vit pas son propre visage se dessiner derrière le hublot de l'appareil, et il le vit encore moins se figer sur le petit carré de papier dentelé... Un nouveau timbre venait de naître pour les fins connaisseurs!

Un cri se forma sur les lèvres de Tommy, mais aucun son n'en sortit. Il se sentit happé dans le vide immense, entre ciel et mer... où sur un bateau silencieux, un jeune garçon blond s'appliquait à rédiger une adresse sur une grande enveloppe blanche : celle de Nancy!

* * *

Décidément, Charles n'a pas fini de nous étonner... Parions que Nancy ne pourra résister au plaisir d'aller libérer son cher Tommy au-dessus d'une mare à grenouilles!

FIN

DANS LA MÊME COLLECTION

Contes pour tous

Sélection «Club la Fête»

CHEZ QUÉBEC/AMÉRIQUE JEUNESSE

BILBO JEUNESSE

Beauchemin, Yves
    ANTOINE ET ALFRED #40

Beauchesne, Yves et Schinkel, David
    MACK LE ROUGE #17

Cyr, Céline
    PANTOUFLES INTERDITES #30
    VINCENT-LES-VIOLETTES #24

Demers, Dominque
    LA NOUVELLE MAÎTRESSE #58

Duchesne, Christiane
    BERTHOLD ET LUCRÈCE #54

Froissart, Bénédicte
    CAMILLE, RUE DU BOIS #43
    UNE ODEUR DE MYSTÈRE #55

Gagnon, Cécile
    LE CHAMPION DES BRICOLEURS #33
    UN CHIEN, UN VÉLO ET DES PIZZAS #16

Gingras, Charlotte
    Série Aurélie
    LES CHATS D'AURÉLIE #52

Gravel, François
    GRANULITE #36
    Série Klonk
    KLONK #47
    LANCE ET KLONK #53

Marineau, Michèle
    L'HOMME DU CHESHIRE #31

Marois, Carmen
    Série Picote et Galatée
    LE PIANO DE BEETHOVEN #34
    UN DRAGON DANS LA CUISINE #42
    LE FANTÔME DE MESMER #51

GULLIVER JEUNESSE

TITAN JEUNESSE

Cantin, Reynald
Série Ève
J'AI BESOIN DE PERSONNE #6
LE SECRET D'ÈVE #13
LE CHOIX D'ÈVE #14
LA LECTURE DU DIABLE #24

Côté, Denis
NOCTURNES POUR JESSIE #5

Daveluy, Paule
Série Sylvette
SYLVETTE ET LES ADULTES #15
SYLVETTE SOUS LA TENTE BLEUE #21

Demers, Dominique
Série Marie-Lune
LES GRANDS SAPINS NE MEURENT PAS #17
ILS DANSENT DANS LA TEMPÊTE #22

Grosbois (de), Paul
VOL DE RÊVES #7

Labelle-Ruel, Nicole
Série Cri du cœur
UN JARDINIER POUR LES HOMMES #2
LES YEUX BOUCHÉS #18

Lazure, Jacques
LE DOMAINE DES SANS-YEUX #11
PELLICULES-CITÉS #1

Lebœuf, Gaétan
BOUDIN D'AIR #12
SIMON YOURM #4

Lemieux, Jean
LA COUSINE DES ÉTATS #20

Marineau, Michèle
LA ROUTE DE CHLIFA #16
Série Cassiopée
CASSIOPÉE OU L'ÉTÉ POLONAIS #9
L'ÉTÉ DES BALEINES #10

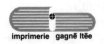

imprimerie gagné ltée

IMPRIMÉ AU CANADA